新潮文庫

覇王の家

上巻

司馬遼太郎著

目次

覇王の家

上巻

三河かたぎ

奥三河《みかわ》の山のなかの坂をのぼって、松平郷という、これ以上は山径《やまみち》もないという行きどまりの小天地に行ったときの夏の陽ざかりの印象は、筆者にとってわすれがたい思い出になっている。

（ここがあの徳川家の発祥の地か）

とおもえば、草木まで意味ありげにおもえてはくるのだが、なにしても山が深く地がせまく、しかも気づいてまわりを見まわしてみると、みぞほどの流れもない。水がないというのは、米がとれないということである。徳川家の祖である松平氏は、ここでひえやあわを食べ、日常はキコリとして山を駆け、木を伐《き》っていた強悍《きょうかん》なグループであることは、地形をみればたれにでも推察はつく。このことは、元《げん》帝国をおこした連中が、北アジアのアルタイ山のふもとで遊牧していたささやかなグループであったことをおもわせる。

そういうキコリ仲間に、あるとき突如、親玉が出現して戦闘員に組織したのが、家康より八代前の親氏《ちかうじ》であろう。かれは漂泊の人で、この山間部にながれついた。親氏はこのキコリ部落にながれついたときは乞食坊主《こじきぼうず》の姿をし、

「徳阿弥《とくあみ》」

と名乗っていた。阿弥という名のつくのは、室町期に流行した時宗《じしゅう》の徒のシルシである。念仏をとなえては食を乞《こ》うて諸国を遊行《ゆぎょう》してまわり、どこで果てるともわからない。諸国の奇譚《きたん》奇説や、風俗人情をよく知っており、なむあみだぶつをひとにすすめるだけでなく、そういう話題が豊富であったから、話上手の遊行僧なら、土地の長者に気に入られれば二月も三月も逗留《とうりゅう》する。ときにその屋敷の妻の心を蕩《とろ》かしたり、娘に通じたりして、この種の風来坊は定着民にとってはゆだんがならない。

松平親氏、つまり徳阿弥は、どうやらその種の魅力に富んだ人物であったらしい。

かれは三河をさすらううち、西三河の酒井郷の土豪酒井家と、この山間の里の土豪の家を往来するうち、両家のおんなに孕《はら》ませてしまい、それぞれ男子ができた。松平・酒井という小さな連合勢力が誕生するのは、このときからである。徳阿弥は、松平郷に土着した。土着するとともにキコリどもを手なずけ、やがて、

「汝《わい》らは、こんな山中でひえやあわを食うて一生不自由していたいか」

と、けしかけた、とおもわれる。山をくだって里へ出れば米がある。それには途中の山砦《さんさい》や小城を攻めつぶしてゆくという命がけの作業をかさねてゆかねばならないが、松平氏とその族党は、それをやった。一代目の泰親《やすちか》のときに中山七名《なかやましちみよう》という小さな段々畠《ばたけ》の土地をうばい、やっと米作地帯にたどりついた。これまた、中原《ちゆうげん》の農耕地帯にあこがれて長城に対しピストン運動をくわえてきた北アジアの遊牧民族に似ている。以後、家康の代までこの家系はときにさかえたり、ときに衰えたりしたが、ともかくも三河国で三割ほどの面積を領分にし、岡崎城の城主であるほどの分限《ぶげん》になっていた。しかし、新興は新興でも、大名といえるほどの存在ではない。三河でのいくつかの大土豪のうちの代表的な存在というべきもので、ひとつ油断をし、働きがにぶると、戦乱のなかで消滅するかもしれない存在だった。

　　五万石でも岡崎さまは
　　　お城したまで舟がつく

と、いまでも座敷でうたわれたり舞われたりするが、この唄《うた》にある岡崎城は徳川時代の模様のもので、堂々たる天守閣ももっている。が、家康が城主のあととり息子としてここでうまれて幼年期をすごした岡崎城というのは天守閣などはむろんなく、櫓《やぐら》や門の屋根もかやぶきで、当地は石の産地ながら石垣などもなく、ただ堀を掘ったその土を掻《か》きあげて芝をうえただけの土塁がめぐっている。城の西側はずんと落ちくぼんで矢作川《やはぎ》が水をたたえて南流しており、西隣の尾張《おわり》からの敵に対し、水の要害になっている。尾張の新興大名は織田《おだ》氏である。

「三河はわしの草刈り場だ」

と、織田信秀《のぶひで》（信長の父）は称していたが、かれはしばしば軍勢を催しては、三河との国境の矢作川をわたって、三河に侵入した。茅《かや》ぶきの岡崎城にいる三河岡崎衆は、そのつど矢作川流域の野をかけまわって尾張からの侵入軍と戦わねばならない。

「尾張衆の具足のきらびやかさよ」

と、この当時三河ではいわれた。尾張は一望の平野で灌漑《かんがい》ははやくから発達し、海にむかっては干拓《かんたく》がすすみ、東海地方きっての豊饒《ほうじょう》な米作地帯であるだけでなく、街道が四通八達して商業がさかんであった。それからみれば隣の三河は大半が山地で、

——人よりも猿のほうが多い。

と尾張衆から悪口をいわれるような後進地帯であった。ただ国人が質朴で、困苦に耐え、利害よりも情義を重んずるという点で、利口者の多い尾張衆とくらべてきわだって異質であった。犬のなかでもとくに三河犬が忠実なように、人もあるじに対して

忠実であり、城を守らせれば無類につよく、戦場では退くことを知らずに戦う。この当時すでに、

――三河衆一人に尾張衆三人。

ということばすらあったほどで、尾張から大軍が侵入してくるときも、三河岡崎衆はつねに少数で奮戦し、この小城をよくもちこたえた。守戦でのつよさではかれらは天下無類というふしぎな小集団であった。ついでながらこの小集団の性格が、のちに徳川家の性格になり、その家が運のめぐりで天下をとり、三百年間日本国を支配したため、日本人そのものの後天的性格にさまざまな影響をのこすはめになったのは、奇妙というほかない。

家康というのは、幼時、下ぶくれで目が大きく、童《わらべ》としては狂躁《きょうそう》なところがまったくなかった。婦人がみれば憐《あわ》れをそそるほどに可愛《かわい》い少童だったであろう。あわれといえば家康の郎党である岡崎衆が、とくにその女房どもが、

「世に、若殿ほどあわれなお子がおわそうか」

と、涙ながら、手仕事のあいまあいまにこの少年の不幸をつねに語りあったことも、

「三河岡崎衆」という、この酷薄な乱世のなかではめずらしいほどに強固な主従関係、というよりもはや共同の情緒をもつ集団をつくりあげて行ったことに、大いに役立っている。家康は、数えて三歳のときその生母於大《おひろ》が、突如ふってわいた政治的事情のためにこの岡崎松平家を去らざるをえなくなり、母子生別した。さらにかれ自身も六歳のとき、人質としてこの三河を離れ、他国に流寓《りゅうぐう》した。少年の運命としては、もっとも劇的である。

三河岡崎衆を結束させたのは、この少年の悲劇性であろう。三河人は、先進的な商業地帯である尾張の住民たちよりも、はるかに濃く中世的な情念を残している。岡崎城下に氷雨《ひさめ》の降る宵など、郎党たちは家々で、

「若殿はいまごろどうおすごしであろう」

と、涙まじりに語ったにちがいない。

まったくばかな話で、家康はこの六歳のとき人質として送られるさきは東隣の強国、駿河《するが》今川家であったはずであるのに、途中かれの身柄を盗む者があり、しかもそれを青銭《あおせん》千貫文という安さで、西隣の織田家に売りとばしてしまったのである。悲劇もここまでくれば、滑稽《こっけい》というほかかない。

話を順序だてると、家康の岡崎松平家というのは半独立国で、東隣の遠江《とおとうみ》と駿河の

両国をもつ今川家の武力を後楯《うしろだて》としてたのみ、それによって西隣からの尾張織田家の脅威をしのいでいた。尾張衆が矢作川をこえて侵入してくるときは、岡崎松平家としては十日も城をもちこたえさえすれば、駿河から応援の大軍がかけつけてきてその急場をすくってくれるという関係であり、この今川家に対する従属のつながりを強くするために六歳の家康が駿府《すんぷ》（静岡市）におくられることになったのである。

かれは、陸路、東へ行き、こんにちの蒲郡《がまごおり》（当時、西ノ郡）から船に乗り、三河湾を横切って途中、渥美《あつみ》半島の田原というところに上陸した。田原の城主は、戸田氏で、松平氏とは三河においては同格の豪族であり、この家から家康の義母がきていたから、姻戚《いんせき》の関係になる。城主の戸田康光は家康を迎え出て、

（これはおもしろや）

と、ひそかに胸算用したのは、この幼童を織田側に売ってはどうか、ということであった。今川氏と敵対関係にある織田氏は手を拍《う》ってよろこぶにちがいない。

幸い、戸田氏はその領地が渥美半島であるため、大船をもっている。家康の一行がこの戸田氏のもとを訪ねたのも、駿府ゆきの大船を借りるためであった。

「よろしゅうござるとも」

と、戸田康光は家康を大船にのせ、沖へ出ると東へゆくと見せかけてにわかに西へ

航走し、尾張熱田に上陸させ、織田信秀に連絡した。

「なんとこれは、勿怪《もっけ》もなきものがころがりこんだ」

と、信秀は大いによろこび、戸田康光に銭《ぜに》をあたえて家康をうけとり、これを人質とした。これについて、後年、『三河物語』の筆者である大久保彦左衛門《おおくぼひこざえもん》は、

「竹千代様（家康）、六歳のとき、質物《しちもの》として駿府へ御下向《げこう》」

と、このいきさつを書き、「永楽銭千貫文にて竹千代様を売らせ給《たも》う」と、表現している。彦左衛門は自分の大久保家が、徳川（松平）家にとって、この家がキコリの大将程度の家であったころからの古い郎党の家で代々忠誠をつくしてきたにもかかわらず、本家が徳川幕府から冷遇されたことに憤慨し、晩年、暗い怒りにまかせてこの『三河物語』を書いた。彦左衛門の気持のなかでは、幼童の家康を売った戸田康光の一族が、のちに家康に随従し、徳川家が天下をとるとともに戸田氏から三軒（大垣、宇都宮、足利《あしかが》）も大名ができたことについても、自分の家への冷遇にひきくらべて腹立ちがあったであろう。

家康は尾張で二年間いた。

そのうち、三河岡崎にあっては、家康の父広忠が二十四歳という若さで急死したため、人質の家康は本国に不在のまま松平家の当主となった。

そのあと、尾張織田家と駿河今川家とのあいだに人質交換といったふうの政治現象があり、家康はこんどは東のほうへ流寓し、駿府今川家にひきとられる運命になった。

「お痛わしとも何とも、申すすべなし」

と、当主不在のまま三河岡崎城下にのこっている郎党たちは、いよいよこの幼主の悲劇性をおもい、それを秘めやかに語りあった。

この郎党たちの境涯も、悲惨だった。このころ今川家は松平家をもはや同盟国とは見ず、まったくの属邦にしてしまっており、

「潰《つぶ》さぬがましとおもえ」

という態度で、岡崎城をも「今川預り」という体《てい》で実際には今川家の尾張への前線要塞《ようさい》にしてしまい、城代は今川侍が駿府からやってきてすわることになってしまっていた。いわば進駐軍であり、三河岡崎衆のあわれさはかれらと道で出遭《であ》えば相手を貴人のようにあつかい、自分は道端に身を避け、腰をかがめて土民のような礼をとらざるをえなかったことであった。さらにかれらを困窮させたのは、封禄《ほうろく》がなくなってしまったことである。

「酷なものよ」

と、ひとびとはなげいた。

「せめて旧松平領のうち、山中《やまなか》三百貫の地でも岡崎衆の養い分として今川家が残してくれたなら、われわれもかほどまでに餓《う》えまいものを」

と、こぼす者もいた。人間の残忍さというのはこういうものであろう。人間が群れて、その集団が強勢になれば弱い集団に対して、それがまるで当然の権利であるかのように酷薄になる。駿河国の強勢を背にして今川家の城代とその家来たちは旧松平領の租税のほとんどを奪ってしまい、被保護者である岡崎衆には一粒の米もあたえなかった。岡崎衆はみな農夫にもどり、わずかな土地を掻いては物を作ってかろうじて餓えをしのいだ。三河人のおかしさは、それを当然の原理としてうけとっていたことである。

——駿河衆がわれわれを保護してくれている以上、米をあの衆らがもって行ってもしかたあるまい。なにしろ三河松平家はコヤケ（小さい家）だ。

コヤケびとの心のつつましさを、三河岡崎衆はもっているらしい。三河人は平気で我慢できるが、たとえば隣国の尾張衆はまったくちがっていた。尾張には商業という、人間の意識を変えたふしぎな機能が、地をおおって波立っている。一文の原価《もとね》のものがときに百文にもなるという魔術的な可能性をもった世界にいる人間にとっては運命に対する忍従心などは商業上の敗者の考えであり、そのかわりに自分の能力を信じ、その能力しだいでどういう奇跡をも生みうるという信仰を、濃淡の差こそあれ、尾張衆ならだれでも持っている。信長《のぶなが》や秀吉《ひでよし》はその代表的性格にすぎないであろう。自然、尾張衆は自己に対する信奉心がつよく、もし尾張衆が、三河岡崎の松平家の郎党のような目に遭えば、ほとんどが近国に散って諸大名に自分をしかるべき知行《ちぎょう》で売りつけて個々に新運をひらこうとするにちがいない。

——三河馬鹿《ばか》。

と、尾張衆は三河の農民をあざける。しかし三河という国の風土にはもともと尾張のような風土がなく、三河衆はどうにも尾張風の精神の軽快さをもつことができない。

この時期の三河岡崎衆をうごかしていた精神は、

「だから汝《わい》らは働け」

という、尾張衆からみればおよそ阿呆《あほう》臭い思想であった。このことばを、三河岡崎衆の長老株である鳥居伊賀《いが》（忠吉）はたえずいって若い者をはげました。働け、というのは、戦場で働くことであった。ついでながら、

「駿河衆（今川家）は狡猾《こうかつ》」

ということになっている。かれらは尾張の織田家と戦うとき、三河岡崎衆をかならず先へやった。先手《さきて》であった。先手は戦場の消耗品で、死ぬ率がたかい。それでもな

お、鳥居伊賀は、

「三河者は死にぐるいして働け」

というのである。尾張衆からみれば「三河馬鹿」であったであろう。事実、三河岡崎衆は戦場ではよく働いた。ある戦場では、

「名ある岡崎衆、郎党までも過半討死す」

という惨況にまでなった。さらにかれらが「三河馬鹿」であることは、戦場での報酬は無料であることだった。今川家の指揮をうけ、今川家のために働いているのに、戦場で死のうが手柄をたてようが、いっさい今川家から沙汰《さた》がなかった。三河岡崎衆もそれを当然とし、

「われらの主君が、今川家の人質になってござる以上、やむをえぬ」

とおもっていた。個人の栄達へのあこがれが時代のエネルギーになっている乱世にあって、このように多分に土俗的な武士団が、東海地方という先進地帯に存在したことじたい、奇跡であったろう。

尾張風な目からみればこのおかしな連中の理屈は、なにやら奇妙なものであった。

「働け」

というその理由は、

「このように今川のために死働《しにばたら》きしてさえおれば、今川家のほうでもやがて我等に同情し、我等を信頼するようになり、ひいては駿府に構われてござる竹千代（家康）様を返してくれるにちがいない」

というものであった。可憐《かれん》さをみせて駿河衆の情《じょう》に訴えようという。駿河の狡猾衆といわれるほどの連中がそういうことで心を動かすはずがなかったが、幼君の留守をまもる三河岡崎衆としてはそれをそう信じて働くほか、踏ヶばりの足場がなかった。かれらにとってそれは期待というより信仰のようなものであり、いや、事実、信仰だった。この三河という地帯は念仏のさかんなところで、日常の会話にも念仏用語がでた。人生は、無明長夜《むみょうじょうや》であるという。念仏はその無明長夜のともしびであるという。

「竹千代様は、われわれが無明長夜のともしびよ」

と、三河岡崎衆は口ぐせのようにいった。竹千代はかれらの生甲斐《いきがい》のようなものであった。

竹千代は、駿府にいる。

その成長にともなういろいろなうわさが、三河岡崎城下にながれてきた。そういう伝聞がさまざま岡崎城下にながれてくるたびにひとびとは寄りあつまって涙をこぼした。

「お子柄《こがら》が、すぐれておわすとか」

などと、最初は竹千代の利発さについての情報が多かったが、その子柄も成人するにつれて、

「お付き衆に思いやりがおありになるとか」

などと、よさの要素がふえてきた。

「鷹狩《たかが》りがお上手なそうな」

「お心が優しいのがなにより」

「しかもお年端《としは》もゆかれぬのに、えらいものじゃな、威が、それも自然《じねん》にそなわった威がおありになる」

「威」

「思いやりの優しさ」

というのが、古来、日本にあっては人の大将たる二大要件とされている。ほかに、偶然知恵がそなわっていたりたまたま勇武の性格であったりするのは、そうあるほうがのぞましいという程度で、必要の絶対条件ではなく、知恵や勇気ぐらいのものなら、それを備えた補佐者さえ付ければいくらでも大将はそれをもつことが出来るのである。

知恵といえば、家康は駿府での少年時代、ほかにやることのないまま、多少の学問

らしいものをした。

学問といえば、大げさかもしれない。儒教がこの国に体系（朱子学）をもって根をおろすのは徳川初期以後のことで、この戦乱の時代には、京や鎌倉《かまくら》の臨済《りんざい》五山の禅僧たちがほそぼそとそれを伝承しているにすぎなかった。地方たとえば尾張や三河あたりには、学問などというものは一円存在せず、第一、つねに興亡のさかいにいる武将たる者に、書物の文字の穿鑿《せんさく》をするような余裕もない。織田信長にも、学問はなかった。きわめて例外的に、越後《えちご》の上杉謙信が、当時としては一流の漢詩をつくりえたのは、とくべつなことであろう。尾張織田家の出身の武将である前田利家《としいえ》が、豊臣時代の末期、藤原惺窩《せいか》という僧侶《そうりょ》あがりの学者から『論語』の講釈をきき、

「世の中にはそういうおもしろいものがあったのか」

と、感心し、『論語』の講釈をきくことを諸大名にすすめてまわり、加藤清正にも、

——虎之助《とらのすけ》よ、そこもとも、惺窩をよんで講釈をきけや。

といった話がのこっている。惺窩にすれば戦国を生きのびてきた無学な実力者たちに、学問のはなしをしたのではなく、『論語』を、一個のためになる処世訓として、かれらの関心に適《あ》うようにおもしろおかしく話してきかせたのであろう。ともあれ、前田利家ほどの人物にしてなお、晩年、はじめて『論語』という書物があることを知

ったのである。家康が駿府の少年時代、そこで接した学問というのがどの程度のものか、想像がつくであろう。

しかし、駿府は、おなじ東海地方の国都とはいえ、三河の岡崎や尾張の清洲《きよす》とは、文化の水準がまったくちがっている。

今川家は足利家累代《るいだい》の守護大名の家で、海内《かいだい》きっての名家であり、京文化が早くから駿府城下に定着している。当主今川義元《よしもと》が武将にはめずらしく公家《くげ》文化の熱狂的な崇拝者であったのは、家風といっていい。さらに駿府城下は禅文化の東海における中心地であることは、義元が建てた臨済寺という禅の大刹《たいさつ》が城外安東村にあることでもわかる。その臨済寺に、

「太原雪斎《たいげんせっさい》」

という大あたまの住持がいた。

学問や諸芸に堪能《たんのう》であるだけでなく、ときに馬上衣をひるがえして戦場にあらわれ、今川義元にかわって采配《さいはい》をとり、駿河衆を進退させてしばしば敵を破った。

雪斎は僧形の人とはいえ、俗縁でいえば今川義元の叔父にあたる。幼時に僧門に入ったことが、この軍事と外交の天才にとって不幸であった。かれは甥《おい》義元の悠暢《ゆうちょう》さをみていて、

――御屋形《おやかた》、かようになされよ。

と、最初は作戦に口ばしを入れるだけであったが、ついには名代《みょうだい》となって軍配をとった。しかし平素は、城外安東村の臨済寺の法堂《はっとう》で禅風をみがいている。

竹千代といったころの家康はこの臨済寺の雪斎について学問をまなんだとのちに伝承されたが、実際はそれほどの優遇を不幸にも竹千代はうけなかった。

三河岡崎のなりあがり大名の家康と、今川一族とは、身分がちがうというよりも、ほとんど人種がちがうほどの大差があった。たとえば今川義元は、

「お屋形さま」

と、よばれている。お屋形とはおなじ大名でも足利幕府の正規大名である「守護」に対してよばれる尊称で、おなじ大名でも当時「出来星《できぼし》」とよばれた実力による自称大名の松平家にあっては、その領分の三河に帰っても、

「殿サン」

と、よばれたにすぎない。三河はサマでなくサンとよんでいた。殿様とは、後世の旦那《だんな》様というほどの意味である。尾張の織田家もこの出来星であった。出来星とはちがい、駿河・遠江両国の守護大名である今川家に対しては、被官衆も郎党も領民も、宗教的尊崇心をもっていた。雪斎は禅師号をもつ尊貴な僧であるうえに、今川一族の

代表者であるからにはその貴種としての崇《たか》さは、竹千代のおよぶところではない。竹千代は今川家にあっても、その家来衆から、

「三河の小せがれ」

とよばれていた。たとえば今川家の家来の孕石主人《はらみいしもんど》は、竹千代にそういった。竹千代が鷹を放って捕った小鳥が、孕石の屋敷内によく落ちる。竹千代がそれをひろうためにその屋敷内に入ると、そのつど孕石はいやがり、ついには、

——三河小せがれには、もう飽き飽きしたわ。

と、どなった。家康はその後もこの孕石の憎体《にくてい》の面《つら》つきがわすれられず、のちに地位が逆転したときに復讐《ふくしゅう》した。要するにその程度のあつかいしかうけていないこの岡崎の人質が、雪斎に手習いをならうはずもなく、ただ雪斎の臨済寺にかよって、その寺でわずかながら学問を授けられたにすぎない。学問といっても、三体千字文《せんじもん》の手本を横においての習字程度のものであり、家康は終生、たとえば上杉謙信のような漢詩もつくれず、古詩を訓《よ》むこともできなかった。

ただ臨済寺のひろい境内で、竹千代は雪斎にときどき出遭うことがある。雪斎は、竹千代につらくあたった駿河衆のなかでは例外的にやさしかった人物で、

「ああ、三河どのか」

と、元服前の肉のやわらかな少年にすら、そういう敬称でよんでくれた。

「息災になされておるか」

と、きまりきった会釈《えしゃく》ことばではあるにせよ、つねにそう声をかけてくれた。が、あるとき、竹千代が、磚《せん》を敷きつめた講堂のイスに腰をおろしてひとり習字をしていると、

「どうか」

と、のぞきこみ、筆をもつ竹千代の手に自分の手をそえて、これはこうよ、と運筆の方法をおしえてくれた。雪斎は、剣のようなするどさのなかにもどこか豊穣《ほうじょう》さをひめた独特の書風をもっていたが、少年の竹千代にとってはそれが千字文の手本にくらべてひどく見劣りがし、足軽奴《やっこ》のはねひげのようにいびつで、どうにもうまい文字とは思えなかった。竹千代の性格はあくまでも手本というものが好きなたちであったらしい。

「物まねびがお好きであるそうな」

駿河では学ぶを真似《まね》ぶという。手本をみてそのとおりまねるのである。

「はい。好きでございます」

「それはまこと、よいお性質だ。知恵というのは、おことがその千字文をまねている

ように、よきものをまねるということだ」

（しかし、雪斎どのの文字は、手本のようではない）

と、竹千代は視線を紙の上におとし、雪斎の文字を不審《いぶか》しそうにながめると、この僧は竹千代の疑問に気付き、声をあげて笑いながら、

「わしのように齢《とし》老いればべつだ。六十をこえれば、世道《せどう》世間の人迷惑になることはべつとして、書風ぐらいわが身勝手であってよい。しかし若いときはそうあってはならぬ」

――真似るのだ。

という。独創や創意、頓知《とんち》などを世間の者は知恵というがそういう知恵は刃物のように危険で、やがてはわが身の慢心になり、わが身をほろぼす害物になってしまう。いや、わが身の勝手知恵というものは――とくにいくさの軍略のばあいは――いかに古今に絶したいくさ上手であろうと、やりかたが二通りか三通りしかなく、それが癖《へき》になって決りものになってくる。いつのいくさのときもおなじやり口になってしまい、それを敵がのみこんでしまえば、敵のほうが逆手《さかて》にとって出てくる。結局は三勝して最後に一敗大きくやぶれて身をほろぼすもとになる。

「そこへゆけば」

と、老師雪斎はいった。

「物まねびの心得ある者は、古今東西のよき例をまねるゆえ、一つ癖におちいることがない。それにはなにがよいかという、よいものを選ぶ心をつねに用意しておかねばならず、そういう心におのれの心を持《じ》しているためには、おのれの才に執着があってはならぬ。おのれの才がたかが知れたものと観じきってしまえば、無限に外の知恵というものが入ってくるものだ。そのうちの最良のものを選ぶだけのしごとですむのだ」

（そういうものだろうか）

少年の竹千代にとっては、なにやらそれがずるいように思え、

「老師はいかがでございましょう。やはりいくさ立てをば、物まねびなされておるのでございますか」

と、きいた。雪斎はこまったような顔で、

「わしは、すこしちがうな」

と、声をひくくしてから、自分はおそらく百年に一人という天才ということになるだろう、という意味のことを言い、言ってからこの少年にそのことばを自慢とうけとられることをおそれ、

——これは、公平にみてそうだ。

と、笑わずに言い足した。

「だから、いくさ場にはよほど催促されても容易に出ないようにしている。わしのやりかたは、一通りしかない。それがすぐ癖になって敵に知られてしまうであろうから、いままでこの山門を出て大いくさにのぞんだことは三度ばかりあるだけだ。小豆坂《あずき》のときが最初さ」

小豆坂合戦とは、駿河の今川勢が、天文十七年八月十日、尾張の織田信秀を三河岡崎外羽根《はね》という字《あざ》にある小豆坂において大いに破ったという、東海地方にあってはすでに伝説化している大戦勝の記録である。その作戦指導は、雪斎みずからが黒衣のそでを背にむすんで陣頭に立ち、采配をふるった。その合戦には、今川の保護領である家康の三河岡崎衆が、例によって先手の弾ふせぎにつかわれ、一団が黒煙りの立つような勢いで先陣を駆け、奮戦した。

「安祥《あんじよう》攻めが最後よ」

と、雪斎がいった。この三河安祥城というのはかつては松平家の城であったが、天文十三年、家康が三歳のとき、このころ三河に勢力を張り出してきた尾張織田家のために城を奪われ、織田家のものになり、その代官が城代になっていた。それを天文十八年十一月、雪斎が総大将になって駿河を発し、今川家の主力七千をひきい、それを十二手にわけ、例によって三河岡崎衆を先手に追いつかいつつ城攻めにとりかかり、城の石垣を掻《か》き割るほどのいきおいで攻めに攻めてついに本丸だけを攻め残し、そのあと雪斎のみごとさは戦闘を一時休止し、織田方と外交交渉に入ったということであった。この合戦は、雪斎一代のなかでも政戦二つながらの呼吸を心得た記録的な攻城戦として知られている。

この時期、尾張織田家はかならずしも安泰ではない。国内に反対勢力が多く、強い外圧が加われば結束に亀裂《きれつ》が生ずる危険性が十分あった。

このときの織田方の安祥城主は、織田信広という、信長にとっては庶兄にあたる人物で、今川方の黒衣の大将雪斎は織田家の内情を察し、信長に使いをやって、

「本丸にいる信広どののお命はたすけて進ぜるかわりに、尾張に人質になっている竹千代を当方に寄越されよ」

と、交渉させた。すでにのべたように、家康は当時、尾張織田家の質物になっていた。

信長は、これ以上戦うことの不利を考え、よろこんでこの人質交換に応じ、竹千代を今川方に送りとどけた。そのまま竹千代は故郷の三河を素通りし、まるで蹴鞠《けまり》のま

りのように駿府に送られたことも、すでにのべた。

「あの安祥合戦が、わしの軍配の執りおさめであったよ」

と、雪斎はいった。

「齢でもあるしな、もうやらぬ」

雪斎の説では、天才とは一生で大いくさを三度もすればそれで十分なもので、百戦百勝というようなことはせぬものだということになる。さらに雪斎の説は、天才でない者はおのれの知を張りださず、ひとのよきものを真似び、それによって生涯粗漏のなきことのみ考えてゆくべきだ、ということになるらしい。

家康は子供ごころながら、これが存外天道かもしれぬとおもったり、半面、ばかにされたようにもおもった。

駿河・遠江という、温暖で物成りがよく、東西交通の要衝を根拠地とする今川家の富強は、他を圧している。

「三河の小倅《こせがれ》に嫁をもたさねば」

と、義元とその側近がにわかに考えたのは家康が満年齢で十四歳にもまだなっていないときであった。今川家にすれば、この小倅に嫁をほどこしてやるという態度だった。

大国の神経というものは鷹揚《おうよう》で反面粗雑なものであり、かれらは家康という人間に対し、戦時外交上の戦利品というほどにしかみておらず、それ以上の想像もそれ以下の想像もしなかった。早く嫁をもたせ、その嫁というきずなによって今川家の家康に対する保護的立場をいよいよ濃厚にしておこうとした。

「関口のむすめを、左様にせよ」

と、今川義元はいった。

関口という家は今川家の家来である。家来の娘を配するというのは、家康の身分からみて相応のものとみたのであろう。ただし関口氏の立場からみればこの家は今川氏の流れを汲《く》んで一門としての待遇をうけている。

——人質ふぜいに。

と、あきらかに不服であった。このとき関口家の当主は、関口刑部少輔親永《ぎょうぶしょうゆうちかなが》という老人で、家格意識がとくにつよかった。ただ、娘が齢をとりすぎている。

二十四歳であった。

「ちょうどよいではないか」

と、義元は親永にいった。この当時、女は十五六歳が結婚の適齢期で、二十をすぎると急に老《ふけ》はじめ、二十四五ともなれば、大年増《おおどしま》といっていい。人質の小伜にめあわすほか思案はあるまい、と義元はいうのである。もっとも小伜の立場からすれば、この花嫁は十も歳上《としうえ》であった。

事がはこばれ、当日になった。家康の婚礼というのは奇妙で、かれはまだ元服しておらぬため姿は童形《どうぎょう》で前髪を立て、名も竹千代で、社会的には大人ではなく、妻をもつ資格がなかった。そこで婚礼の当日の朝、いそぎ義元が烏帽子親《えぼしおや》になって元服式をとりおこなった。前髪を切って童子を大人にしてやる役目を理髪役というが、それは関口親永がつとめた。その夜、ひきつづき婚礼がおこなわれた。

当夜、月代《さかやき》をあおあおと剃《そ》りあげて出来あがったばかりの大人である家康は、婚礼の座にしたり顔で着座し、もう百年も大人稼業《かぎょう》をしているような落ちつきぶりで人に会釈をしたり、盃《さかずき》をしたり、諸儀式に外れることなしにふるまった。

この時代、女性の地位はその実家の家柄によってきまる。婚家よりも門地や勢力の点で高い家からきた嫁は、一段高い意識でふるまった。嫁が実家からつれてきた男女の家来衆も、この場合、人質である家康の郎党の数よりはるかに多く、それが屋敷うちに充満し、家康の郎党に対して人もなげにふるまい、それまで水入らずだった駿府城下少将宮町の人質屋敷が、駿河衆に占領されたようなかたちになった。

「人質屋敷の三河者は、負け犬のようだ」

と、駿府城下のひとびとはいった。嫁側の家来は、婿《むこ》側の家来に対し、屋敷うちで顔をあわせても自分から会釈はせず、婿側からの会釈を要求した。これは当然であったであろう。駿河衆は、保護領である三河衆よりも人としての階等が高いというのが駿府における常識であったのである。

自然、家康自身も、この十歳上の女房に対し隷属《れいぞく》するようなかたちになった。かれにとって最初の女であるこの妻をかれは決してきらってはいなかった。なにぶん女に対して好悪《こうお》をいう余裕がまだできていない年齢で、生れてはじめてそれを遂げる欲望のほうがより新鮮であり、今川家の権威をもってこの人質屋敷に送りこまれてきたこの中年（というのがこの当時の通念であった）の女との閨房《けいぼう》のことに惑溺《わくでき》した。やがて数年のちにかれがこの女との閨房に余裕ができてきたとき、

（女というのはああいうものではあるまい）

と、物事の根元に気づくのである。なにかと権高く押しかぶさってくるこの正室というものに、かれは女であることの魅力を感じなくなった。このことがかれの生涯のその面の生活に抜きがたい影響をあたえるにいたる。家康は後年、この正室について

きわめて異常なかたちの死別を遂げてのちは女といえば妾《しょう》にかぎった。それも上位の家の娘にすこしも関心を示さず、家来や領民のむすめを上げて妾にした。というよりも身辺の事をやらせる秘書役のしごとをさせ、夜は伽《とぎ》をさせた。女の効用というものを、あくまでも実用としてしか考えなかったこの人物の女性観は、正室の権威から圧《お》し殺されそうになったこの駿府の人質時代でのにがい思い出につながっている。

家康が、元服と妻帯を一日でやったのは、弘治《こうじ》二年正月十五日である。

この年の初夏、家康は舅《しゅうと》の関口親永にたのみ入って、

「一度岡崎に帰り、滞っております父祖の法事もし、さらには元服を終えた自分のすがたを郎党たちに見せてやりばやと存じまするが、このこと無理でございましょうか」

と、申し出た。人情からいえばもっともな申しぶんで、舅の親永も多少心を動かされ、そのことを義元屋形まで願い出てやった。

「あれは律義《りちぎ》な男で」

と、親永はいった。

「まさか、逃げるような心配はございますまい」

親永がそううけあったため、義元も寛大さを見せてやらねばならなかった。期間をほんの短期にかぎって帰郷をゆるした。

帰郷する家康の一行が三河路に入ると、初夏の陽ざしがいよいよ強く、笠《かさ》を焼くがようである。

(これが、三河の陽ざしなのだ)

と、家康は幼時の記憶をたどりつつおもった。駿河とはちがい、三河に照る太陽には匂《にお》いがあるかとおもった。海浜の生ぐささもそうであろう、奥路《おくじ》へ入ると草いきれがつよく、特有のなまぐささが光線に匂い出ている。路傍の草のあいだにうずくまって家康をおがんでいるひとびとの顔もほお骨が高く、色が黒く、歯などが剝《む》き出て、駿河衆を見なれた目にはとても優美とは言いにくい。しかしどの顔も、家康を見あげていまにも泣くか、叫ぶか、どうにもならぬ感動と悲しみをおさえていて、家康にとってはこの群れしか地上に人間がいないほどに人間そのものであった。

家康が通りすぎると、その領民どもは家康の郎党のまわりに駆けよって、

「もはやずっと岡崎に在《おわ》すのかや」

と、嚙《か》みつくようにきいた。そのつど、家康よりも三つ上のお側頭《そばがしら》である鳥居彦右衛門元忠(鳥居忠吉の子)は、

「いずれはお帰りになる。しかしいまは一時のお里がえりだ」

と、説明しつつ歩いた。

現在《いま》の岡崎インターチェンジのあたりに、大平川（男川）という小さな川がながれている。このあたりの田園には岡崎衆のなかでも上級武士の屋敷や知行地が多かったが、これらの知行地のほとんどは岡崎城にいる今川氏の代官によっておさえられていた。家康が通ったとき、田園の一帯はちょうど田植えの最中であった。田植えどきというのは、道に貴人が通ってもいちいち路傍まで出て来ずともいいという習慣が、どの国にもある。三河でもそうであった。しかし家康に気づいたそここの田植え衆は、泥だらけの手で笠をとり、泥田を渉《わた》ってきて、路傍でうずくまった。たれもそうであったが、ひとりだけ例外があった。

急に家康に尻《しり》をむけ、こそこそと茅《かや》のくさむらへ逃げこんでしまった農夫がいる。が、家康はすでに顔を見てしまった。

「その草むらに隠れたのは、近藤登之助《のぼるのすけ》ではないか」

近藤登之助とよばれた中年の農夫は、草のあいだから悲しげな貌《かお》をのぞかせた。

（なんと、登之助ほどの者でも）

と、家康はおもった。この男はかつての松平家における身分でいえば堂々たる物頭《ものがしら》で、平時でも外出には十数人の供に諸道具をもたせ、戦場でも尾張衆のあいだにまで名のひびいた男であったが、いまでは知行を駿河衆にとられ、露命をつなぐために泥田をかきまぜてわが食う米をつくっている。登之助はそういうわが身を恥じたか、あるいは家康に無用の嘆きをさせたくないとおもったか、ともかくもこの場は草のあいだに身を隠そうとしたらしい。

その登之助が田の水で手と顔をあらい、笠をとって家康の前にまかり出たとき、家康は、

「憂《う》き目を見させることとよ」

と、いった。このひとことで近藤登之助は声を放って号泣した。登之助としてはわが身の情けなさをなげいたというよりも、主人からそのようないたわりを受けたということの感動で泣いた。中世人というのは大なり小なりこの近藤登之助のような感激家であり、時代がさがるにつれてこの種の情感が人間から薄らいでゆく。家康にとって幸いであったのは、かれの領国の三河というのはこの意味でも尾張や駿河よりはるかに後進地帯であることだった。

この家康と登之助の挿話《そうわ》は、たちまち岡崎衆のあいだにひろがった。かれらも登之助同様に感動したが、それ以上にうれしかったのは、家康がまだ齢《とし》も熟さないのに登

之助にあのように優しい言葉をかけたという、そういうかれの資質についてであった。自分の郎党に対する同情心のふかさがなければ、いかに譜代の郎党でも死地にはおもむかない。人をして死におもむかしめるもっとも肝要な資質であった。岡崎衆たちは、家康の器量にいよいよ希望をもった。

また、これとはべつに、

「威」

のほうの挿話も、岡崎衆はよく知っていた。

家康が不在中の岡崎衆の長老は鳥居伊賀（忠吉）であることはすでにのべた。かれは岡崎城の二ノ丸に起居し、留守家老としてわずかに残された松平領の財政と民政の管理に任じていたが、当然ながらこの鳥居老人の威望は不在君主の家康以上のものであり、もし悪心があれば岡崎の城一つぐらいは横領できる立場にいた。が、この老人の質朴さはそれどころではなく、駿府にいる家康の身辺に遊び相手がすくなくそれが憐《あわ》れだというので、数年前、息子の鳥居彦右衛門が十三になったときに駿府にやったのである。法的には彦右衛門も今川家の人質ということになる。それを進んでそのようにしたということは、この時代、時代の気風で独立心の強くなっている諸大名傘下《さんか》の老臣（というより単位としては豪族）の例としてはきわめてめずらしく、これも三河ぶりというべきであろう。

駿府城下の少将宮町の人質屋敷に彦右衛門は住んだが、ところで家康は異常なほどに鷹狩《たかが》りを好み、彦右衛門にその相手をさせた。家康はあるとき一羽の百舌鳥《もず》を手に入れてこれを鷹がわりにしようとおもい、歳上の彦右衛門にその稽古《けいこ》をさせた。本来ならこのようなしごとは下人である鷹匠のやることであり、名門の鳥居家の惣領《そうりよう》のすべきことではない。しかし家康は容赦なく彦右衛門を鷹匠として訓練し、しかもこのとき、彦右衛門がやった百舌鳥の据えかたが、家康の教えたようではなかったので、

——それしきの事もできないのか。

と、彦右衛門を高殿《たかどの》の縁から突きおとした、というのが、その挿話なのである。このことはすぐ風が運ぶようにして三河岡崎へつたわった。父の鳥居伊賀の耳にも入った。老人は驚嘆し、

「大将におわす」

と、叫んだという。本来なら家康は、家老である鳥居家に遠慮をし、彦右衛門に対しても特別なあしらいをすべきであったが、平然とそれを縁から突きおとしたという剛気さが、鳥居老人にすれば末の頼もしさを想像させるのに十分だったのである。ついでながらこの駿府での遊び相手の彦右衛門は、後年、家康とともどもに老いた。か

れは関ヶ原合戦の直前、すすんで伏見城の守将になった。もし大坂で石田三成が家康の不在中に兵をあげれば、伏見城をまっさきに攻める。その城将の討死は必至であるという状況下において鳥居彦右衛門はその任につき、奮戦して死んだ。

さて、家康は岡崎城に入った。

岡崎城の本丸には、今川家から派遣されている城代で、山田新右衛門という男が住まっている。普通なら、帰国した家康の宿所として本丸を空けるべきであったが、家康のほうからさきに、

「貴殿が城をまもってくれていればこそ、岡崎も安泰なのです。私はまだ年若であり、古老たちの話もききたいゆえ、二ノ丸をもって宿所とします」

と、人をしてそう言わしめた。面憎いほどのへりくだりかただが、その効果はあった。この話はすぐ駿府の今川義元の耳に入った。それまで義元は家康の帰郷を多少危ぶんでいたが、これをきいて大いに安心し、

サテサテ分別アツキ少年カナ

と、感じ入ったというのである。家康の後年の性格なり資質なりは、すでにこの十

三四のときに成立していたのであろう。これは後年、豊臣家をほろぼすというその決断をするその瞬間までは、長いものに対するこの種の巻かれかたの態度が巧みで、そのことは巧みという技巧的なにおいはいっさいなく、天性の律義さから発露しているようにも他人《ひと》にはみられ、しかもひとだけでなく自分でも自然に自分の律義さを信じ、さらにひるがえっていえばかれの律義は決して律義ではなく自分の鋭鋒《えいほう》をかくすための処世的なものであったことをおもえば、これほどふしぎな人物もまず類がない。この堅牢《けんろう》複雑にできあがった二重性格は、その幼少期の逆境と、少年期、敵国の織田家や今川家ですごした人質としての生活環境の苛烈《かれつ》さが自然につくりあげたものであろう。かれがこのような苛烈な生いたちでなく、もし後世、なに国かの草深い里で大庄屋の旦那《だんな》としてでもうまれていれば、多少の女好きによる出入りはあるにせよ、おだやかで福々しい一生を素直に送った人物であったかもしれない。

家康は、岡崎城で数日をすごした。

田園にかくれ忍んでいた郎党たちもこのうわさをきいて城下にあつまり、毎日十人、二十人と二ノ丸にのぼってきて、家康に拝謁《はいえつ》した。

「おじいさまに生きうつしにおわします」

というのが、古老たちの感慨であった。

家康にとって祖父にあたる人物は、きわめて若く死んだ。没年は二十五歳であった。松平清康という。

清康はすでに三河では英雄伝説のなかの人物になっており、ほとんど没落同然になっていた松平家を十三歳で相続し、二十までのあいだに旧領を復活したばかりか、西三河のあらかたを討ち平らげてしまったという人物で、性格は豪邁《ごうまい》であり、その戦術能力たるや、天才としかいいようがなかった。それが、かれの人格とはなんの関係もない奇妙ないきさつで家来に殺されてしまい、その死によって岡崎城も人手にわたり、松平家はふたたびもとの弱小な土豪にもどった。家康の父の広忠は幼少の身ながらこの惨況のなかで家を継ぎ、諸方を転々しつつ成人し、家を再興するために駿河の今川家に頼った。義元はさっそくその乞《こ》いを容《い》れ、大軍を三河に派遣して広忠のために岡崎城を回復してやった。岡崎松平家が、今川の保護領になったのはこのときからである。ところが、この広忠も清康同様、突如発狂した家来のために斬殺《ざんさつ》されるという奇禍に遭った。凶運が松平家にはつきまとっているといえばそれまでであったが、祖父も父も若くして凶変に死んだということが、少年の家康を用心ぶかい人間にさせ、齢よりも早く分別のきく男にさせたということもあるであろう。

この岡崎城の二ノ丸で滞留しているとき、ある夜、鳥居伊賀がやってきて、鳥居伊賀はこのとし八十を越えている。わざと灯をつけず、城内の闇の中を家康の手をひいて歩き、やがて自分の城内屋敷に入り、奥の蔵の前にまでゆき、音をしのんで錠をはずした。老人は家康をなかに入れた。

蔵の中で老人ははじめて灯をつけ、それをかざして家康にみせた。なんと、天井にとどくばかりに米俵が積まれており、貧窮しているはずの岡崎城の蔵ともおもえない。つづいて老人は、山積みにされたぼう大な青銭をみせた。

家康が声をのんでいると、老人は、

「それがしが、かようにつかまつった」

と、小声でいった。今川の城代の目をぬすんで旧領内からあがる年貢《ねんぐ》や運上金をくすね、累年貯《るいねんた》めに貯めたのがこの米銭でござる、と、老人はいった。

「すべて殿のものでござる」

と、こう語るころには老人はすでに泣きだしていた。殿が、と老人はいう。将来、独立なさるときはこれをすべて軍用におつかいなされよ、これだけあればよい侍を多く召しかかえることができましょう、いつまでも三河は不運であってよいものではありませぬ、と掻《か》きくどき、やがて家康を蔵からつれだし、錠をもとどおりにおろした。
この年、家康が駿府へ帰ってほどなく、鳥居伊賀は安堵《あんど》したように老衰死している。

三方ヶ原へ

家康という、この気味わるいばかりに皮質の厚い、いわば非攻撃型の、かといってときにはたれよりもすさまじく足をあげて攻撃へ踏みこむという一筋や二筋の縄で理解できにくい質《たち》のややこしさをつくりあげたのは、ひとつにはむろん環境である。その環境というのも複雑で、しかも年ごとに、というより刻々に変化している。かれは戦国の、しかもそのなかでももっとも激動期に壮齢をむかえているのである。

家康は、この元亀《げんき》三年、三十になった。この年、甲斐《かい》（山梨県）の武田《たけだ》信玄が、すでに晩年であった。信玄はその半生の総仕上げをしようとしていた。つまりその勢力をあげて、かねて念願としていた京都制圧の遠征に出ようとくわだて、そのための内政と外交上の準備をととのえ、げんにこの年の十月、行動を開始したのである。途中の三河などは、当然踏みつぶされてゆくであろう。

「京の織田殿などは、濡《ぬ》れすずめのようにふるえているであろう」
というのが、海道の評判であった。たしかに信長はそうであった。かれは若いころから信玄をおそれること虎《とら》のようであり、この時期、信長は信玄の西上を防止してなんとか自己勢力をまもるための権謀と外交の手を、人間にあたえられた悪知恵のかぎりをつくしてつぎつぎに打っていた。まるで大海嘯《つなみ》がくるようであった。その大海嘯のために途中、同盟国である三河の家康がひとたまりもなく呑《の》まれてしまうであろうことなど、信長にすれば顧慮している余裕もなかった。信玄西上というのは、戦国期最大の事件であったといっていい。

これより十二年前、よく似た事件が海道諸国を慄《ふる》わせた。駿河の大勢力である今川義元の西上である。義元は信玄と同様、京に旗をたてようとした。この時期、家康は今川氏に属しており、かれなりの小部隊をひきいて今川の主力とはべつに支隊活動をしていた。尾張の信長はまだ二十六歳で、世評では賢愚さだかでないときである。義元は尾張を踏みつぶしてゆこうとした。信長は必死の冒険作戦に出、その後のかれの生涯の跳躍台になった桶狭間《おけはざま》の奇襲をやってのけ、俄雨《にわかあめ》のなかで義元を討ちとって海道の勢力地図を一日で変えてしまった。

今川氏のあとは義元の子の氏真《うじざね》がついだが、氏真は愚昧《ぐまい》で諸将の心がはなれたため、火の消えたようにおとろえた。

この桶狭間の奇襲は信長の運命を飛躍させたが、家康が今川氏から解放される運命をもつくった。

「人の一生は重き荷物を背負って坂道をのぼるようなものだ」

というおよそ英雄とか風雲児とかといったような概念とは逆のことばは、晩年の家康がいった言葉であると言い、また偽作であるともいうが、このことばほど家康の性格と処世のやりかたをよくあらわしたことばはない。この若者がいわゆる英雄の爽快《そうかい》さをもっているならばこのさい、断固として今川氏と袂別《べいべつ》すべきであった。が、かれは袂別せず、三河の前線にとどまっていた。袂別しなかった理由のひとつにはかれの妻と長男は、今川の本拠の駿府《すんぷ》に人質にとられている。かれらの重臣たちの子弟も、今川氏の人質になっていた。かれが今川と袂別すればそれらはみな殺されることは確実であった。家康はむりをしなかった。かれは驚嘆すべきことに、敵の織田方の前線部隊と三河の最前線において対峙《たいじ》していた。

「なんとこの殿は真っ正直なことか」

と、かれの家来の三河衆がみなあきれたほどであった。なぜならば義元が桶狭間において戦死したという報がつたわるや、今川方の諸将ですらみな陣をはらって駿府へにげかえってしまっているのである。

いまひとつ、このどさくさに家康がやってもさしつかえない行動があった。かれの父祖以来の城である岡崎城へ乗りこむことである。

「それはせぬ」

と、この分別の化身のような若者は、諸将にもそう言いきかせていた。岡崎城の潜在所有権はかれにあるとはいえ、その後ずっと今川家がそれをおさえており、城代として今川侍の武田上野介《こうずけのすけ》と山田新右衛門が駐留している。

「今川殿のおゆるしがないかぎり、岡崎城をわがものにはできぬ」

と、この若者はこの時期になってもいっているのである。かれは岡崎の北一里の鴨《かも》田《だ》村にある大樹寺まできていてなお岡崎城に入ることを遠慮した。

むしろこれに迷惑したのは、岡崎城をまもっている今川侍の武田と山田だった。かれらは義元の戦死後、このような尾張との国境の城にいることが心ぼそくてならず、城をすてて逃げだしたかった。このため大樹寺の家康へしきりに使いを出し、

「岡崎へお入りなされ」

とすすめたが、家康はあくまでも今川への信義立てをよそおい（半分本心である）、

「今川殿のおゆるしが出ませんから」

と、うごかなかった。そのうち武田と山田はたまりかねて城をすてて駿府へ逃げかえってしまった。このため岡崎城は空城になった。

「岡崎は捨て城になった。人の捨てたるものをひろうには、さしつかえあるまい」

と家康は言い、その事情を駿府にも報《しら》せた。念の入った律義《りちぎ》ぶりである。念まで入れたこの「律義」は、むろんただの正直者のあの正直ではないであろう。正直を演技するという、そういうあくのつよい正直であった。この用心ぶかい男は、義元が死んでなお今川家をおそれていた。

――たしかに死んだか。

と、屍体《したい》をゆさぶって、それでもなお生きかえるかもしれぬという用心深さである。生きかえるとは、あとを継いだ子の氏真が、世評には反し意外の出来物《できぶつ》であったらどうしようという意味であった。たとえ氏真が世評どおりのあほうであっても、その補佐の老臣たちが健在なかぎり、今川勢力は容易におとろえまいという万が一を考えた用心ぶかさであった。

「三河どの（家康）の律義さよ」

と、この家康の岡崎入りの態度は、駿府でも多少の評判をよんだ。

敵方の尾張ですら、これは評判になった。信長は尾張清洲《きよす》城でこれをきき、

「三河の小僧はよくいくさ働きもする、そのうえ、馬鹿《ばか》かとおもわれるほど義理がたい」

と、ひそかに感心した。この時期の信長はまだ微力で、父の死後みだれた尾張一国の統一も十分には遂げておらず、たまたま奇功によって義元の首をあげたとはいえ、それをしおに東征して今川圏を侵すというような力はとてもない。信長にとって桶狭間の一戦の当座の意義は、東からの脅威を一応しりぞけたというだけで十分であった。あとは尾張に退守して国内の経営をせねばならなかった。が、今川氏からの脅威はおわったわけではない。できればこのさい岡崎城主になった三河の若僧を誘いこみ、これと同盟の関係をむすんであの律義者に今川家の西への膨脹《ぼうちょう》政策をふせがせたい、そうすれば尾張の東方国境は安全になるであろう、とおもっていた。要するに岡崎の家康にすれば、西の織田と東の今川に対し、同時に自分の律義さを感心させたことになる。かれのような弱小勢力としては、律義さを外交方針にするのがもっとも安全の道であった。家康はずっとそうであった。後年、日本第二の勢力になっても自分の頭上の支配者——秀吉——に対して羊のようにおとなしく、犬のように忠実でありつづけた。かれが豊臣家に対し譎詐《きっさ》奸謀《かんぼう》の大親玉に変身するのは秀吉の死の直後からである。

かれの律義を猫かぶりのうそで演技にすぎないと片づけるのは容易だが、それにしてもそのうそと演技を、五十年もつづけたというのは、どういうように理解すればいいのであろう。

家康は、岡崎城主になった。

かれのふしぎさは、このあと今川方のなかでかれだけが織田方に対して戦闘をつづけていたことである。毎日三河の山野のどこかを走りまわっては、織田方の砦《とりで》や小城を陥《おと》していた。信長はここ当分尾張退守主義をとっているから、かれの父の代にできた三河での砦や小城は惜しくもなく、いわば戦場に置きすてたものであった。家康はせっせとそれを攻めおとした。

「今川殿のために戦闘を継続している」

というのが駿府への名目であったが、本心はそれらの小城を拾っては自分のものにし、三河での勢力をひろげていた。ただの正直者のやることではない。しかも家康はこの火事場泥棒の行動を正当化し、このことまで自分の律義ぶりの宣伝にしようとした。かれはあどけなく駿府の今川氏真に使いを送り、

「それがしはこのように働いております。お屋形さまはなぜ亡《な》きお父君のお仇《あだ》を討とうとなさらないのです。さあ、早々に織田討滅のお馬をお出しくださいませ。それが

しは先手《さきて》になり、骨をくだいて尾張へ攻め入りましょう」

と申し入れたが、今川氏真にはとてもその気がなく、家康の苦労をねぎらっただけで駿府での放逸なくらしをつづけた。

（――とすれば）

と、用心ぶかい家康はやっと駿府情勢に結論をくだした。氏真という男が正真正銘のあほうで、老臣もなかば見捨てているということをである。ここでやっと独立を決意し、駿府から人質をとりかえす工夫をした。この工夫は成功した。

その前後に、家康は尾張の信長からの誘いかけに応じ、織田家と攻守同盟をむすんだ。織田とむすぶ以上、当然今川は敵になる。この男はただの律義者ではなかった。

「以後、今川氏に対しては」

と、家康は同盟締結にあたって信長へ頼もしげに申し入れた。

「それがし手を砕いてその防ぎとなりましょう」

信長はまったくよい協同者をえた。これによって信長にとっては本国尾張の東部国境のまもりは他人《ひと》まかせで済むことになり、東方防備の武力のいっさいを他につかうことができ、事実、このあと信長は全力をあげて西上の事業にそそぎこむことができた。

それから八年のあいだというもの、信長の近隣攻伐の働きのすさまじさは悪鬼のようなものであった。桶狭間からわずか八年後にかれは天下の諸豪を出しぬいて京へのぼり、流亡の足利《あしかが》将軍をよびかえして位につけ、その権威をかりて近畿《きんき》を平定した。この八年間という信長の大成長期に、その同盟者家康が彼自身のためにやった仕事といえばかれの本国三河一国の平定だけであった。三河はざっと三十万石になる。それだけであった。その理由には客観的事情が多少あるにせよ、家康は信長の軍事行動をたすけるのに多忙すぎ、自分自身の領土をひろげるゆとりがなさすぎた。

家康は、信長にとって肉親以上に忠実な番犬でありつづけた。

――三河衆には毛が何本か足りぬのではないか。

と、織田家の尾張衆たちはひそかにうわさするほどに、家康とその三河衆は、信長の征服事業をたすけるために、信長が来よ、と命ずればどこまでもころころ付いて行った。

ある軍陣で、ある尾張の物頭が、

「おお、三河の犬どもがきている」

と、戦場で家康の軍勢が勢ぞろいしているのをみて声高にいったことがある。それが家康の耳に入ったが、家康はべつに怒りもせず、

「三河犬の牙《きば》の固さをほめたのだろう」

と、その家来たちにいってなだめた。かれは自分の配下が信長の配下と喧嘩《けんか》することをつねにおそれ、事あるごとに、

――尾張衆が、多少の雑言《ぞうげん》を申しても決して吔《ほ》えるな、聞き流しにせよ。

と、いましめていた。三河衆はその家康の訓戒をよくまもった。

しかしあまりにおとなしく律義であるということは、ついには軽んじられることになるのかもしれない。信長はたしかにかれの家来でもないのに、家康を便利使いした。

信長が京を制してから二年目に、揺りかえしが一時に殺到した。かれの中央制覇《せいは》があまりにも早急すぎたため、ひろく天下をみれば大勢力がことごとく残っている。甲斐の武田、越後の上杉、小田原の北条《ほうじょう》、越前《えちぜん》の朝倉、近江《おうみ》の浅井、中国の毛利、それに摂津石山の本願寺といった諸勢力が反織田同盟ともいうべき連繋《れんけい》をむすびはじめ、京の信長に対し、包囲環をつくろうとしていた。その諸豪のなかでまっさきに行動したのが朝倉・浅井の連合軍で、家康の年齢でいえば二十八歳の元亀元年、信長はこの連合軍と近江姉川で決戦し、激闘をくりかえして辛くもこれをやぶった。

この作戦を開始するときも信長は、

「三河どの、近江へ馬を出されよ」

と、かるがると家康に要求した。

家康はこの時期、国境に武田勢力からの脅威をうけており、本国を空けて信長のために近江へ出かけてゆくということはきわめて困難であった。

――信長はほろびるのではないか。

という疑惑が、三河衆のあいだでもささやかれていた。なにしろ信長は天下の兵をひきうけて孤軍戦わざるをえなくなっており、その信長には同盟者は三河の家康しかない。家康はここでひと思案してもよかった。織田をすてて武田につくということをである。なにしろこの当時、世間の軍事上の強弱評価は京にいる信長よりも甲府にいる信玄のほうに大きかった。家康がここで自己保存のためのみを考えるならば当然信玄に密使を送って信長と断交しても、べつに権謀外交からいってふしぎではない。

が、家康は信長のために姉川の大会戦に参加した。その兵力は信長の本軍二万四千人に対し、わずか五千人であった。本国の防衛ですでに火がついている家康にすれば、これが割《さ》きうる兵力のぎりぎりであった。

朝倉・浅井の連合軍というのは二万人足らずであったが、この越前と北近江の兵はいずれも強悍《きょうかん》で鳴っており、それらが団結して死物ぐるいで戦ったため、姉川の左岸にいる信長の主力は戦いのはじめから動揺した。すでに定評のある尾張衆の弱さはみじめなほどに露呈した。織田の主力には浅井勢があたった。浅井勢は突撃をかさねて織田主力の第一陣を潰乱《かいらん》させ、第二陣をもやぶった。つづいて第三陣を崩し、第四陣の尾張衆も潰乱したとき、信長の床几《しょうぎ》まわりが裸になり、信長自身のいのちがあぶなくなった。

家康は別の戦闘区にいた。かれの徳川軍はわずか六千（うち一千は織田家からの貸与部隊）で一万の朝倉勢にあたり、苦戦をかさねてやや退却した。このとき家康は戦場を望見して友軍の織田軍が危機におち入っていることを知ったが、自分も朝倉の大軍に圧迫されているためどうにもならなかった。家康は馬を駆け入れ駆け入れして三河者どもを励まし、叱《しか》り、さらにこの苦戦のなかから榊原康政《さかきばらやすまさ》の一隊をひきぬき、姉川をわたって朝倉勢の背後に出ることを命じた。この策がみごとに功を奏し、朝倉勢がにわかに浮足だち、すかさず家康の主力が火を噴くようにして突撃したため、朝倉勢は大潰乱をおこした。この潰乱が浅井勢にも波及し、これによって織田主力もいきおいを得て攻勢を再興し、やっと勝つことを得た。

「家康なくては立て直すことならず、姉川合戦、信長の負けなるべき……」

と、『甲陽軍鑑』もそのように批評している。ついでながら『甲陽軍鑑』という軍書は武田家の将高坂弾正《こうさかだんじょう》の著といわれているが、じつは江戸初期、小幡《おばた》勘兵衛景憲《かげのり》という江戸軍学の祖が高坂の名前の権威をかりて自分が書いたらしい。江戸初期であるため、当然、家康への評価に手心があるが、それにしてもこの合戦についてはこの評は公正としか言いようがない。さらに『甲陽軍鑑』では尾張衆の弱さについて、「織田勢は浅井勢の数倍の大軍であるのに、切りたてられて十五町ほども逃げた。逆に家康は五千の三河勢をもって倍の朝倉勢をやぶった」

という意味のことを書いている。家康に対し、

「海道一の弓取り」

というほめことばができたのは、この合戦からであろう。

家康は武田からの脅威にそなえるためにすぐ本国へもどらねばならなかった。ついでながらこの元亀《げんき》元年の姉川合戦の時期には家康はすでに東隣の遠江《とおとうみ》（静岡県の西半分）一国を得て、浜松に城をきずいてそこにいた。

遠江は、ながく今川領であった国である。

「今川の領国を貴殿と獲《と》り分けにしよう」

と、家康にいってきたのは、じつは甲斐の武田信玄であった。姉川合戦からかぞえて一昨年の晩秋、信玄という巨魁《きょかい》が、二十六歳の家康に対し、はじめて外交関係をも

ったのはそのような一件である。むろん今川家は現存している。が、諸将の心が当主氏真から離れ、いわば強国にとっては奪《と》りどくの領域だった。信玄の申し出は、

「大井川をはさんで、西（遠江）は徳川殿自儘《じまま》にしたまえ、東（駿河）は拙者が存分にする」

ということであった。家康は承知した。この年の十二月、ほとんど同時に兵を入れ、今川領を東西に分割した。氏真は他郷へ流亡した。このため家康のふところに遠江二十五、六万石がころがりこみ、三河本国とあわせればざっと五十数万石の大名になった。この勢力で、姉川合戦に参加したのである。

家康の身代は大いにふくれたものの、しかしそれだけに数倍の外圧を背負うことになった。天下最強といわれた信玄の大勢力圏と、わずか大井川の川一筋をへだてて境を接せねばならぬはめになったのである。

信玄というのは諏訪法性《すわほつしよう》の兜《かぶと》をかぶり、叡山《えいざん》からおくられた大僧正の僧階をもち、鎧《よろい》の上に緋《ひ》の衣をかさねて軍陣に出る。このふしぎな軍装は、当時、すでに遠江に有名であり、かれの敵たちはつねにこの信玄像を想像してはおぞけをふるった。

家康も、武田圏と隣接しているだけに、その恐怖は死刑を宣告された囚人にひとしい。が、この物学びのいい男のおかしさは、これほど信玄を怖《おそ》れながら若いころから信玄をひそかに尊敬していたことであった。かれはつねづね信玄の民政の仕方、軍陣のたてかたから平素の心がまえまで知ろうとし、後年、武田家が勝頼《かつより》の代でほろびたとき、武田の牢人《ろうにん》といえば百人であれ千人であれ、ひとまとめで召しかかえ、かれらから信玄の遺法をきき、陣法を研究して徳川家の後期における先鋒《せんぽう》部隊である井伊《いい》勢のそなえをすっかりそのやりかたにあらためさせた。井伊の士卒は具足までことごとく赤かった。「武田の赤備え」といわれたものが赤一色であったからであり、家康の信玄への傾倒はそこまで徹底している。

どうやら家康には、信玄の性質と相似たところがあるらしい。たとえば家康は信長をまねなかった。家康は信長の同盟者として信長に運命を託し、終始信長にひきずりまわされ、それほどに深い縁をむすんだわりには家康はついに信長の好みや思考法はまねず、晩年も信長という人物についてそれを賞《ほ》めあげたような談話を残していない。秀吉に対してもおなじである。家康は秀吉につかえているときは自分の毒気をいささかもみせず、つねにいんぎんであった。しかしその時期、内々《うちうち》の場で家来たちにひそかに洩《も》らす言葉は、秀吉のあの派手なやりかたに染まるな、ということであった。たとえば茶ノ湯がそうであろう。信長・秀吉の好みによってあれほど一世を風靡《ふうび》した茶ノ湯についても、徳川家の諸将だけはそれに染まらず、そういう会合に出ず、家康の好みどおり依然として三河風の質朴さをまもりつづけていた。家康とその三河侍の集団は豊臣期の大名になっても農夫くさく、美術史で分類される安土《あづち》桃山時代というものに、驚嘆すべきことにすこしも参加していない。かれらには他の大名を魅了した永徳も利休も南蛮好みもなにもなく、自分たちの野暮と田舎くささをあくまでもまもった。

徳川集団ほど、織豊《しょくほう》時代のにおいと無縁の集団もない。

そのように、家康は味方の信長からまなばず、敵の信玄に心酔したところがいかにも妙で、三河者にとっては、商人のにおいのする尾張者よりも、おなじ農民のにおいのする甲州者により親近の思いがあったのかもしれない。

信玄は民政のうまい男であった。あらたに版図《はんと》がふえると、その新領土の政治は家来にまかせない。かれの直接行政地にした。うかつな家来を代官などにすると人情をわきまえず暴慢なことをして人心が離反することをおそれたのである。信玄みずからが政治をし、撫《な》でころばすようにしてかれらを手なずけた。三河でもその東部の南北設楽《しだら》郡と東加茂郡の三郡計四万石の地は信玄に侵蝕《しんしょく》されて武田圏になっていたから、家康はそのやりかたをよく知っていた。家康は、今川領の遠江を新領土にしたときも、信玄とそっくりの筆法でこれを馴撫《じゅんぶ》し、成功した。

武田信玄の趣味なり好みなりは、中世風であった。流行の茶ノ湯などは、

「あれは町人のすることよ」

と、見むきもしなかった。

宗教についてもそうであった。信長は尖鋭《せんえい》的な無神論者であり、神仏を否定した。秀吉はそういう思想はなかったにせよ、無信仰であった。家康はややちがっている。庶民的な浄土宗(一向宗ほど庶民的でなかったにせよ)のよき檀徒《だんと》であり、戦陣にも「厭《おん》離穢土《りえど》・欣求浄土《ごんぐじょうど》」という旗をかかげた。それからみると信玄ははるかに中世的な信仰者で、かれにすれば浄土宗ですら新興宗教であり、中世信仰のなかでももっとも権威的な、それだけにすでにぼろぼろに形骸《けいがい》化している叡山(天台宗)を尊び、多額の寄進をし、その寄進の見返りとして在家俗身の身ながら大僧正の位を贈られたときはこどものようによろこび、さらには叡山が信長に焼きうちされて僧徒三千が殺されたときいたとき、

——叡山を甲州へ移せ。わしの手で保護してりっぱに栄えさせてやる。

といったくらいであった。もっともこの深情けには、叡山のほうから言葉丁重にこ

とわった。

家康はここまで保守的ではなかったが、しかし信長のモダニズムにはついてゆく気もしないかれとしては、信玄の風姿のほうがより理解しやすい風景であった。

信玄にあっては、かれがつくった武田軍団の編制や機能こそ他国にないかれの独創のものであったが、他のことは既定の権威をこのんでいる。かといって、その種の人物にありがちな感傷主義はなく、自己の権力政治を絶対のものとし、それを確立するためには実の父親である先代信虎《のぶとら》を追放して単身京へ追いのぼらせてしまったし、またかれの四十代のころ、自分に反逆をはかったという理由で、長男の義信《よしのぶ》をとらえ、牢に入れ、のち殺している。

「稀代《きたい》の忍人《にんじん》である」

と、諸国では信玄の評判はわるい。忍人とは目的のためにはいかにむごいことをしても平気でいる、という人物のことである。家康は、べつに忍人ではない。

武田信玄は、中世貴族である守護大名の家にうまれ、その血統は甲斐のひとびとから半神的な崇敬をうけており、当人もうまれついての貴人であるために常人でないところがある。

「貴人情を知らず」

といわれるが、信玄にはうまれついてのそういうものがあった。しかし家康は庄屋階級程度のいわば庶民同然の出身であるために、その哀歓の感覚は郎党たちとおなじであった。かれは郎党に対しては人情家で、郎党の不幸には本気で涙をこぼした。三河衆が、この男について行ったのはかれのそういう性質ゆえであろう。

そのかれが、のちに信長から、かれの長男信康《のぶやす》を殺せ、といわれている。信康はすでに成人して戦場での勇猛さは評判の人物であったが、信長は、

——信康はその生母とともに武田家と通謀している。

という確証（生母についてはそのとおりであったが、信康はぬれぎぬである）をにぎり、家康にそのように命じた。この命を奉じないと、信長は家康自身を討って徳川家をほろぼすであろう。家康は三日の思案のすえ、信康を殺すことにした。家康は信康を殺す決意をするとき、

（かつて、武田の屋形もその長子義信を殺したではないか）

と、その私淑している人物のことをおもい、ともすればひるむわが心をはげましたにちがいない。家康は信玄をならうあまり、「忍人」のまねまでした。しかしほんものの忍人になりきれなかった証拠に、のちのちまで信康のことをおもいだしては涙を流したり、繰りごとをいったりして、左右を手こずらせた。家康のこういうあたりが

また、質朴な三河衆たちの彼を好んでいるところであったであろう。

世に三方《みかた》ヶ原の戦いといわれる武田信玄とのこの戦いの動因は、小国の家康の側にない。すべて大国である信玄の側にある。

信玄はうまれついての大国のぬしではなかった。かれは甲斐国という、富士の裏陰に位置して地味痩《や》せた土地を本拠にしている。のちの石高の単位でいえば二十五万石ほどにすぎなかったが、士卒は剽悍《ひょうかん》であり、かれはさらにそれをかれ好みの戦士として練磨し、それをもって隣接国を蚕食《さんしょく》した。その蚕食はかれのような天才をもってしても非常な難事業であったのは、小田原に老大国ともいうべき北条氏のブロックがあり、越後には戦争技術にかけては信玄と匹敵もしくはしのぐかもしれない上杉謙信がいるためにこの大勢力群がたがいに牽制《けんせい》しあって身うごきが容易でない。信玄が半生をついやして併呑《へいどん》しえた新領地はやっと百万石ほどであった。信濃《しなの》、駿河《するが》、遠江の北部、三河東部、上州の西部、飛驒《ひだ》の北部、越中の南部などである。本国の甲斐とあわせれば、百二十五万石ほどにはなる。これだけの身代があれば、

「そろそろ西上してもよい」

と、この信玄という慎重な男（この点も家康は気に入っていた）が考えたのは、五十を

すぎてからであった。とくにかれをよろこばせたのは、駿河という海に面した国を得たことであった。山国からやっとこの男は東海道に出ることができた。もっともそのときはこの慎重家にとって人生の太陽がすでに傾き、老境に入っていた。かれは駿河を得てはじめて港をもち、そこにすぐさま第一流の水軍を創設した。信玄の欲望は十九世紀の世界史でのロシアのそれに似ていた。ロシアは温暖の地に海港をもつことをあこがれ、海洋に出るべく長期の侵略作業をつづけ、アジアではインド洋への南下を考えたこともあり、一方極東を制し、沿海州を持ち、ヨーロッパではトルコをおびやかした。ともあれ信玄は晩年になってやっと駿河を得、東海道という日本の幹線にたどりついた。あと、駿府から京までわずか八十里である。

途中の大勢力は、織田家しかない。

「蹴散《けち》らして参りましょう」

と、かれの配下の驍将《ぎょうしょう》馬場美濃守信春《みののかみのぶはる》などは、殿中での酒宴のとき事もなげに揚言した。もっとも信玄はおよそ大言壮語しない男で、だまって美濃守を見つめていただけであった。織田家よりもその前に、いま一つ小勢力がある。三河と遠江をもつ徳川家康であった。

「家康とはどういう男だ」

と、信玄はきいた。信玄は、二十歳以上も歳下《としした》の家康については、あまり知識がない。原加賀守《かがのかみ》昌俊は、

「臆病《おくびょう》なれども依怙地《いこじ》な男」

というようにいった。ある程度はあたっていたであろう。依怙地は家康のもちあじで、ただし我を張るわけでもなかった。欲しいとおもえばむしろ、我を折り、我を見せず、ながい歳月をかけて無理なく奪ってしまうということのようであり、この性格をきれいに言いあらわせば律義《りちぎ》ということにもなった。

「その臆病者が、臆病なればこそゆめ油断ならぬ」

と、信玄はいましめた。臆病者というのは知恵の湧《わ》くもので、臆病者は敵がおそろしいあまり、いかなることでもたかをくくらず、物事を深刻に考えぬき、やがては周到な用意を張りめぐらしてしまう。

信玄も、あるいはこの種の臆病な男かもしれなかった。家康の圏内の三河と遠江は、信玄にとって単に通過地帯にすぎず、げんに諸将も、

「三河など、踏みつぶしてすすむべし」

と、いっているが、しかし信玄は踏みつぶすについても遠江・三河両国の道路や地形のすみずみまで調査をした。信玄はどの戦いをする前でも調査をしたがる人物で、

それもつねに精密そのものであった。こんどの場合も、入念にそれがおこなわれた。調査の期間は、

「元亀《げんき》三年申《さる》の夏から秋」

と『甲陽軍鑑』に書かれている。以下これについての『甲陽軍鑑』の古格な文章を借りると、

「遠州、三河の絵図をもって、両国嶮難《けんなん》の地あるいは大河、小河の出様《でよう》、一村、一里に渡り（渡河点）がいくつ、あるいはフケ（深田のこと）、溜《たま》り池、よろずを」

という。調査要員は、遠江や三河の牢人をもってあてた。それらの調査を指揮してまとめるのは二人の侍大将であった。原隼人《はやと》昌胤《まさたね》と内藤修理《しゅり》昌豊《まさとよ》である。やがてまとまると、

「両侍大将、信玄公御前において申しあげ、穿鑿《せんさく》（検討）なられて」

はじめて陣容を決め、諸大将に対してはぜんぶ地理をのみこませてしまう。三方ヶ原の戦いで、三河兵が口々におどろいたのは、武田軍団が、そのどのような小部隊でも、かれらにとってはじめてのこの三河の錯綜《さくそう》した地形のなかで、たれも迷わずにすらすらと行動したということであった。

この武田軍の踏みつぶし作戦に対し、家康は手をつかねていたわけではなかった。

この臆病者は、自己保全のため必死の外交をやった。かれは信玄からの圧迫を感じはじめていちはやく、信玄の西上を牽制するために越後の上杉謙信と攻守同盟をむすぼうとした。信玄に足どめをくらわせる者は、天下に上杉謙信しかいない。

――しかし謙信殿は、この自分の名を知っているだろうか。

と、ふと不安になったほどに、家康はまだ東海での新勢力にすぎず、戦国期を通じての古豪である謙信に対し気おくれがする思いがした。考えてみれば今川や織田の勢力のかげにいたこの家康という少壮の男が、自分の名において大勢力との外交をやったのは、これがはじめてといっていい。

使者が必要であった。三河衆はいずれも田舎者で、千里の使者がつとまる者が、家康が見わたしたところいない。たまたま三河に稲葉山権現《ごんげん》堂という山霊をまつった修《しゅ》験《げん》道の寺があり、そこに叶房《かのうぼう》浄全という鷲《わし》のくちばしのような鼻をもった奇相の山伏が住んでいる。叶房は若いころから諸国を歩きまわり、佐渡にもしばしば渡り、その途中越後にも滞留したりして上杉家の重臣の何人かとも浅からぬ親交があるという。

「叶房とはなんと縁起のよい房名か」

と、家康はすがる思いでこの老山伏に口上のいっさいを言いふくめ、家来をつけて越後へ旅立たせた。この叶房が、じつにうまい外交をやってのけて、事をすらすらと成功させてしまった。

「東海の形勢も大いにかわり、いまでは徳川どのが一番の弓取りにて、北条氏はむろんのこと、甲斐の信玄どのも大きに憚《はばか》っておられます。その上にこの御ひとは律義の人にて、そのいちいちの証拠はかような」

と、その人物について語り、

――信玄がもし出てくれれば南北から挟《はさ》みうちに致しましょう。

と、提言した。謙信が日本海岸から攻め、家康が太平洋岸から攻めるというのである。

この申し出に、謙信は家康が思ったよりも十倍ほどよろこび、かれ自身の喜悦をあらわした直筆の手紙を書いた。手紙は、

「いまだ申通《しんつう》（文通）せず候《そうろう》といえども」

という文章からはじまり、

「御使僧、まことに大慶これにすぎず候。向後《こうご》、二なく申し合わすべく候」

（謙信とは、少年のような手紙をかく男だ）

と、家康はおもった。外交の文章はたとえその申し出が上杉氏の利益にとって嬉《うれ》し

いことであるにせよ、もっとさりげなく無表情に書くべきものであるのに、謙信のそれは直情が躍りすぎている。家康はかれ自身の性格から信玄の奸譎《かんきつ》さや佞知《ねいち》、それに複雑さには無限に魅《ひ》かれるものがあっても、謙信の爽快《そうかい》さや直情は、どうにも浅いようにおもわれて自分の手本にするほどの魅力はおぼえない。ただ好意をもった。好意以上に、

——これでなかば救われた。

と、大きな安堵《あんど》を覚えた。このときの家康の上杉謙信への好意が、はるかな後年、謙信ののちの当主である景勝《かげかつ》が関ヶ原の直前、石田三成と通謀して家康討滅の旗をあげたときも、甚《はなは》だしい不快をおぼえなかった。戦後、当然、景勝は切腹、家はつぶして妥当なところ、景勝の一命をもたすけ、封地についてはそれを削減して米沢三十万石とし、上杉の家名を存続させたのは、家康の保守的性格からくる名家どのみ（信長にはそれがなかった）だけでなく、ひとつには家康の最初の外交における成功と、上杉謙信という人物への好印象がずっとかれのなかで生きつづけていたからにちがいない。

武田信玄は、家康が上杉謙信と同盟をむすんだことを知ると、

「小僧、わしに敵対するか」

と、外交上の激怒をしてみせ、じつはこれによって公然と家康領を侵略できることをよろこび、元亀二年二月にはすでにかれ自身、西駿河の田中城にまで出てきて、これを三河侵略の野戦本営にした。三月には兵を遠江に入れた。まず遠州高天神《たかてんじん》城を攻めた。さらに別働隊をして東三河を侵略せしめ、ついで四月には野伏《のぶし》どもをそそのかして家康の本拠地である岡崎城の郊外にまで出没させ、あちこちに火を放って人心を動揺させた。堂に入った侵略の芸であった。

家康は、遠州浜松城にいた。

家康が父祖いらいの三河岡崎城を出て遠州浜松をあらたな本拠にしたことについては、老臣たちのあいだでたれも賛成した者がない。

「気でも狂いなされたか」

と、みな言いさざめいた。家臣団の代表である酒井忠次《ただつぐ》と石川数正が顔をそろえて家康の面前に出、怒鳴り声をあげて諫止《かんし》したが、家康は、

「そうきめたのだ」

というばかりで、我をまげなかった。

遠江は手に入れたばかりの領国で、本国の三河からみれば植民地にすぎない。とい

うのに、徳川圏の首都岡崎を廃して遠江の浜松にそれを置くとはどういうことであろう。しかも浜松は城下町につくるには不便が多く、たとえば水に乏しい。井戸を掘っても深く掘らねば真水が出ず、小身の者はその費用に堪《た》えられない。しかも城内に水が出ないのである。

浜松は家康がつけた地名で、それまでは引間《ひくま》と言い、引間城という小さな古城があった。家康はその規模を大きくし、城下に家来を住まわせるべく屋敷地の地割りをし、

——みな、いそぎ浜松に移れ。

と、命じたが、三河というこの当時の後進地帯にあっては武士の城下町集中という習慣がまだなく、それに代々住みなれた岡崎を恋しがり、離れたがらなかった。

家康も他の三河人と同様、農民くさい保守性をもっていたが、しかし実利のためには自分の好みを紙くずのように捨て去るというところがあった。

「浜松は、敵に近い」

と、家康はいった。敵は東のほうの駿府からくるのである。この敵をふせぐためには最前線に指揮所をもつべきだというのである。後世の例でいえば、明治期の日本が、他の極東勢力（清国やロシア）と対決して日清《にっしん》・日露戦争をおこしたが、この場合東京を廃して首都を敵により近い福岡におくようなものであり、それだけの勇気の要る着

想でもあった。

これには、信長まで反対した。信長はつねに自分の利益を中心に考えている。家康とその三河衆を織田家の都合のために使用してきたのだが、それには手近に置いておきたい。三河岡崎なら、尾張からは矢作《やはぎ》川を越えた川むこうで、必要とあればすぐ動員できる。ところが遠州浜松は遠かった。

この家康の浜松移駐を信長はよほど迷惑におもったらしくわざわざ重臣の佐久間信《さくまのぶ》盛《もり》を使いとして浜松にやり、

「突如われらとなんの下相談もなく浜松へ出られたこと、おどろくほかない。尾張から浜松は遠く、途中、難所も多い。今後これでは織田家との協同作戦がうまくゆかないから、早々に岡崎へもどられよ」

と、言わしめたが、他のことではあれほど信長に従順な家康が、このことになるとすこしもゆずらず、ついに我を通してしまった。

「存外な強情者よ」

と、信長もあきれるうち、ひきつづいて家康は信長の肝を冷やすようなことをやった。

上杉謙信との同盟がそれであった。信長にとって謙信との同盟はかまわないにしても、その結果、自動的に家康は武田信玄と断交せざるをえない。となれば、家康の同盟者の信長も信玄の敵にならざるをえず、その大海嘯《つなみ》をかぶらざるをえない。

信長は、信玄をおそれ、その敵にまわらぬよう、信玄に対し、人間の頭脳で考えられるかぎりの大嘘《おおうそ》をつき、つぎつぎにつき続けて信玄を足止めし、その心を撫《な》でつづけてきた。信長にすればいま一歩であった。いま一歩すれば信長は信玄に対抗しうる情勢と兵力をつくり得るのだが、いまはまだ信玄という虎《とら》をその洞窟《どうくつ》からひき出してはならない。が、家康は信長からみれば勝手な外交をし、結果としては虎を引きだすはめになった。もっとも、家康にいわせれば情勢はそうではない。虎自身がかれ自身の意志で出てきたのであり、当方の媚態《びたい》外交は限界にきていた。これ以上媚態をつづけてはかえって食われるだけであり、このあたりで媚態を一擲《いってき》して滅亡を覚悟したうえでの決戦の準備をすべきであった。

信長は、結局は家康が作った新情勢に屈せざるをえず、かれはやむなく上杉・徳川同盟に自分も参加した。が、この浜松城移転と対上杉同盟の一件は、信長の家康観をわずかに変えさせた。家康は信長にとって織田圏の東方警備の番犬であるにすぎなかったのが、その番犬自身が多少意志的になり、自分の判断で行動しはじめたのである。

ただしこのことは、家康の世評の「律義」の範囲内でのことであることを、家康は再信長に言いつづけることをわすれなかった。

「それが、織田家にとって御為《おため》になることなのです。もし信玄が押し寄せてくれば、それがしは死力をつくしてふせぎます」

「ふせぐのもよいが」

と、信長は、家康が、自分の桶狭間のころのような冒険主義になっていることに、頭をかかえこみたいほどに当惑していた。信長にすれば武田信玄に対する冒険はいっさい不可で、いままで築きあげてきたすべてを瓦解《がかい》させることになる。

「もし武田勢が浜松に押しよせてくれば軽戦したのち退却し、城を置きすてて岡崎までひきさがるがよろしかろう。浜松で防戦しても無駄の無駄である」

と、しばしば人をやって家康に説かせた。家康はそのつど、

「なるほど、そうでもありましょう」

とか、

「よくよく思案つかまつる」

とか言い、できるだけ顔をおだやかにして力づよくうなずき、言葉だけは曖昧《あいまい》にしておいた。家康の本心は、その場合は浜松城を一歩も退かず、千に一つの勝目もない戦いを滅亡を賭《と》して戦ってみるつもりであった。この病的なほどに用心ぶかいこの男

の性格のどこを押せばこういう常軌のはずれた決意が出てくるのであろう。家康という人間は、どうにも一筋縄では解きあかしにくいことは、すでに触れた。本来、用心ぶかくて守嬰《しゅえい》的で功利的なだけの性格なら、ここで武田方に転ぶのが一番であった。げんに、このときの家康の条件と類似の条件下におかれた戦国の武将は無数にいる。かれらはみな武田へころぶという反応をし、目前の危機を脱しているのである。たとえ武田へころばなくても、信長が勧めるように岡崎へ逃げ、さらに尾張へ逃げこんで織田主力に合流し、それでもって戦うというのが普通の反応であった。生来の豪胆さを決してもちあわせていない家康が、右のどの行動類型にもはまらず、意外にも自殺的な行動に出ようとし、げんに出たことが、家康のふしぎといっていい。かれがもし英雄であるとすれば、こういう非類型的な不可解な要素をもっていたからであろう。

信玄は、ついにきた。

これより前かれは駿河田中城からいったん甲府にもどり軍勢を整備していたが、元《げん》亀《き》三年十月三日、諸国にひびいた赤装軍をひきいて甲府を出発した。この日、雲が低く、甲府からみえる遠山は物影のようにしずまって、色が冴《さ》えない。

「この冷えようでは、越後は雪であろう」

と、信玄は乗物のなかでつぶやいた。信玄は越後の降雪期をねらって西上する。雪のためにかれの敵手の謙信は春になるまで身うごきがとれないであろう。それでもなお信玄は三万の常備軍のうち、一万を国内の防衛にのこした。二万をひきいた。そのほか、同盟国である北条氏から二千を借りた。

かれは戦闘行軍の常道として、別道をすすむ部隊をつくった。兵五千である。それを侍大将のひとりである山県昌景《やまがたまさかげ》にさずけ、三河の東部をへて遠江へむかわせた。

一方、浜松城の家康のもとには、信玄出馬についての情報がつぎつぎに送りこまれてきた。後方の信長からも急使が入った。信長の口上というのは、

「早《と》うとう、浜松をおすてあれ、岡崎で守られよ」

というもので、繰りかえしてであった。信長は後方で連呼しているようであった。家康は使者をいんぎんに応対し、

「いずれ岡崎にひきとりしましょう。しばらくは浜松にてささえたい」

と、体《てい》よく返答してかえしたが、使者が帰ったあと、爪《つめ》を噛《か》みながら長い思案をし、やがて自分の諸将をかえりみて、

「浜松城を捨てるくらいなら、刀を踏み折って武門をすてたほうがましだ」

と、のちにまで有名な言葉を吐いた。昂然《こうぜん》と吐いたのではなく、泣くような顔でほ

そぼそとつぶやいただけであった。家康はこの期間、少年のころや晩年とは別人のように痩《や》せており、目ばかりが大きく、頬骨が大きく出て、あごがながくとがっていた。その眉間《みけん》をひそめてつぶやいたときは、灯明《ほあか》りに隈《くま》ができて、まるで鬼相であった。

家康の総兵力は一万とすこしあったが、それらのうち四千人は前線の小城に配ってあるため、決戦用の兵力はわずか六千ほどでしかない。六千で二万数千という日本最強の信玄の大軍にはとても勝てなかった。家康は、信長に援軍を乞《こ》うた。

（一万ほども貸してくれるか）

と、家康は期待した。家康の諸将も、

「いつも当方から織田どのへ加勢するばかりで、一度たりとも織田どのから援軍を乞うたことがありませぬ。織田どのとしては、当方の売り恩にすこしはむくいてくれるでありましょう」

といって期待したが、いよいよ武田軍がせまりつつあるとき、やっと到着した織田軍は、わずか三千人であった。派遣軍の諸将は、佐久間信盛、平手汎秀《のりひで》、滝川一益《かずます》である。信長の戦略感覚からいえば負けるにきまったこの局面で大兵力を出すのは傷を大きくするばかりで無意味であり、同盟の義理をはたす程度の人数でいい、ということであった。しかも信長はこの三人の部将が出発するにさいし、

「戦うな、城を守っているだけでよい」

と、申しふくめた。

信長の戦略感覚はつねに商人のようであり、事の軽重に応じて行動を緩急させている。無駄に兵を損ずることを、信長は商人が銭《ぜに》を吝《お》しむように吝しんだ。やってきた尾張衆たちも同様であった。三人の部将だけでなく、足軽のはしばしにいたるまで戦意がなかった。

信玄の軍は、進んでいる。

十月七日、この大軍が遠江に入ったときの壮観さは、ながく海道の伝説として残った。その行軍は整々として二万余が踏み鳴らす地ひびきのみきこえ、私語をする者はひとりもなく、歩卒にいたるまで両眼が異様に光り、脇見《わきみ》をする者もなく、その印象は人間というよりも猛獣の群れがすすんでいるようであった。十月十日、徳川方の多々羅城と飯田《いいだ》城のふたつを、卵を踏みつぶすようにしてつぶし、さらに西へ進んだ。

家康は、進撃の情景を偵察しなければならなかったが、いつもの細作《さいさく》を放っての物見《ものみ》程度ではとうてい十分ではなかったから、威力偵察を試みることにした。かれはかれがつねに誇りにしている三人の将を前線へむかわせた。大久保《おおくぼ》忠世《ただよ》、本多忠勝《ただかつ》（平八郎）、内藤信成《のぶなり》の三人である。かれらに三千の兵をあたえ、浜松から突出させた。

かれらはまず三香野《みかの》（袋井市付近）へ進出し、そのあたりの木原、西島などの村々に出没して街道を偵察するうち、ついに前方の野に紅色がうごき、甲州軍があらわれ、さらに接近して見たしかめるうち、武田方もこれに気づき、みるみる街道の両側の野に大きく展開し、速度をあげて接近しはじめた。

「退《ひ》こう」

と、内藤信成が、大久保と本多にいった。ここで戦えばたださえ少ない徳川方の決戦兵力が大いに減耗してしまう。すぐ退却にとりかかったが、本多平八郎だけはしばらく踏みとどまり、道路上のあちこちに戸板や畳、むしろなどを山のように積みあげ、火を放って湿煙を噴きあげさせた。煙はしろじろと野面を這《は》い狂って、武田方の視界をさえぎり、このため武田方は逃げてゆく徳川方の退路の捕捉《ほそく》にしばらく迷った。

「三河者は、おもしろいことをする」

と、信玄は遠くから望見しつつ感心したがやがてこれが家康の若い部将の本多平八郎がやったことだということが知れわたり、武田方の何者かが、

　家康にすぎたるものが
二つあり

唐《から》の頭《かしら》に本多平八

という落首を浜松の東郊の一言坂《ひとことざか》に残した。唐の頭とは白熊《はぐま》のことをいう。中国産のヤクという動物のしっぽで、禅僧がもつ払子《ほっす》などにつかう。徳川家では本多平八郎をはじめ七人の部将の兜《かぶと》にこれを掛けさせて、武威のしるしとしていた。

信玄は、軍をわけて一隊に家康方の二股城《ふたまた》を攻めさせ、別働隊の山県昌景に三河東部に入らせ、吉田《よしだ》城、伊平砦《とりで》などを、枯枝をへし折るような勢いでおとさせた。かれは、慎重であった。急には攻めず、本営を前進させて野部《のべ》（天竜市の東方）に移し、紅葉の季節をここですごしつつ、前進をはばむ小城群を抜く作業をした。この年も暮れようとする十二月二十日をすぎたころ、ようやく前進の気配を示した。

この報は、すぐ浜松の家康に伝わった。二十二日、信玄は前進を開始した。ところが家康らにとって意外なことは、信玄は浜松より北方二十キロほどの山麓《さんろく》を走る間道をとって京へ向おうとしたことであった。信玄はきわめて無造作に浜松城を無視した。

信玄にすれば、西上が目的であった。途中の浜松城を攻めて手間どるよりそれを避けて京へ進もうとした。

要するに信玄とその大軍団は浜松の北方の山間を通過してゆく。

この信玄の動静についての諜報《ちょうほう》が、かれの出発の前日、浜松城の家康のもとに入った。すぐ軍議がひらかれた。

当然、徳川方ではこれを奇貨として浜松城で息を殺しているべきであった。織田方の三将はそれを主張し、佐久間信盛は例によって信長の訓戒をくりかえした。

徳川家の諸将も、同意見である。敵は、こちらが手を出しさえせねば通過してゆく。出て戦って大怪我《おおけが》をしたところで武田勢の西上を食いとめられるわけではなく、無意味であった。全員が、出戦に反対した。

が、家康は息を細くし、顔を土色にさせ、目だけを赤く充血させてしきりに爪を嚙んでいる。

(――この男、狂ったか)

と、織田家の派遣将校である滝川一益があきれる思いがしたのは、家康が妙な言葉を吐いたことであった。出て戦う、というのである。しかも、この乱世で、一国二国をきりもりする大名としておよそこどもくさいことを言った。

「敵がわが郊野を踏みつけつつ通りすぎてゆくのに、一矢《いっし》も酬《むく》いずに城にかくれているなどは男子ではない」

と、いうのである。なにごとにも慎重をかさねてきたこの男が、血の気をうしなうほどの形相でこういうことを言いだしたのは、家康の郎党でさえ家康という人間を量りかねたほどであった。家康というこの人間を作りあげているその冷徹な打算能力が、それとはべつにその内面のどこかにある狂気のために、きわめてまれながら、破れることがあるらしい。かれは全軍に出戦の支度をさせた。この自殺的な出戦は、結局は惨澹《さんたん》たる敗北におわるのだが、しかしかれののちの生涯において、この敗北はむしろかれの重大な栄光になった。

大《だい》潰《かい》走《そう》

家康は、浜松城を出陣した。馬が、北方の台上にむかってすすむごとに、

——狂え、狂え。

と、自分にいいきかせたにちがいない。狂う以外に恐怖からまぬがれる方法はない。家康もその士卒も、このときほど怖い思いをして出陣したことはなかったであろう。士卒は、上戸も下戸も、その胃の腑《ふ》に酒を入れていた。大手の城門わきから通りの

両わきにかけて、濁酒《どぶろく》を満たした樽《たる》が、いくつもおかれていて、ひとびとはそれを竹筒に詰めたり、ひしゃくで飲んだりした。酒で、すこしでも狂わなければならない。家康は晩年、

酒は元気を引き立つるものである。軍陣か鷹野《たかの》には、下戸も一盃《ぱい》のめば、勇気出《い》でて、ひとしお、精の出るものである。(『中泉古老物語』)

と、語っているが、この当時、いくさの門出には酒がつきものであった。しかしこの時期、武田の大軍へ挑戦しにゆく家康の軍団にとっては、酒なしでは前へすすめなかったにちがいない。

——三河者は、酒をのむわ。

と、織田家からの加勢三千は、へらへらとそれをながめていた。尾張衆の武装は華麗で、三河者のそれは土くさく、みすぼらしかった。

家康は、このとき酒は飲まなかった。しかし、自分に狂え、と命じた。このすぐれた自己に対する機械技師のような男は、自分を狂わせるということすらできた。もっともかれが狂気のなかに自分の行動を置いたのは、生涯でこのときがただ一度である。

武田の大軍は、浜松の北方の山路を、西にむかって行軍しつつある。家康がうけた再三の偵察報告どおり、武田信玄は海岸にある家康浜松城を無視し、黙殺し、そういう無駄な攻城に日をつぶすよりも京へのぼることに専念し、京に旗をたてるという政治目的にむかって無駄のない軍事行動をとりつつあることはたしかだった。

——甲斐《かい》の入道（信玄）どののえらさよ。

と、この信玄への私淑者は、あらためて感心せざるをえない。敵を眼前にみながら堂々無視できるというのは信玄の放胆さをあらわすものであり、目的のために余計な骨折りをしないというのは、戦術家としてのきわだった聡明《そうめい》さを証拠だてるものであった。

信玄の軍は、十二月の寒風のなかを西進している。

かれら二万二千の大軍は、十二月二十二日（太陽暦の二月四日）に、宿営地の野部《のべ》を出発した。信玄も、輿《こし》をあげさせた。

（三河の小僧は、出てくるかどうか）

信玄は、ひっきりなしに浜松付近からもどってくる偵察者の報告を、頭のなかで整理して家康のうごきを透かし出そうとしている。

出て来させた方がいい。

信玄にとってこのさい厄介なのは城攻めなのである。どんな小城でも陥《おと》すのに十日や二十日はかかるが、遠州浜松城は家康が東方経略の策源地として入念に改造した大城であり、どういそいでも陥城まで一ト月は見なければならない。むだであった。が、家康が、気を逸《はや》って城をとびだしてくるというなら話はべつである。野外の決戦なら、数時間で決着がつく。信玄にとっては、絶好の状態であった。まず家康を野外で踏みつぶしておき、ついで尾張《おわり》か近江《おうみ》で信長の野戦軍を蹴《け》ちらせば、西上への道は坦々《たんたん》としている。

(家康がばかなら出てくるだろう)

と、信玄はおもい、出てこさせるように浜松城下まで機動力に富んだ騎馬隊をやり、城下を襲わせ、近郊の村々を焼きはらわせた。城主の家康を挑発するためであった。

(が、出て来はすまい)

という想像のほうが、比重がおもい。信玄はこの事前において、家康の性格をあらゆる方法で調査した。信玄はいくさをはじめるにについてはこういうことまでやる男であった。

家康については、若いながらおそろしく慎重な男というのがおおかたの情報だったが、そのなかに、桃の話というのがある。

「いつの年にか、霜月ばかりの事なるに」

という文章からはじまる『故老談話』の一くだりに、京にいる織田信長から冬の十一月という季節に「めずらかなるもの」として、桃の実一籠《かご》がとどいた。三河の重臣《おとな》どもは大いにめずらしがり、みな見物にきて声をあげた。ところが家康はその桃をみな近臣にわけあたえてしまい、自分は食わなかった。

甲府にいた武田信玄はこのはなしをきき、

「家康という男はどうやら大望があるらしい」

と、つぶやいた。

――時ならぬものは食わぬと見えたり。

と、信玄がいう。時ならぬ果実を食い、それに中毒《あた》り、病んでせっかくの大望ある身をうしなってはつまらぬと家康はおもった、と信玄は推量したのである。大望うんぬんはべつとして、家康がいかに慎重な男であるかが、この桃一つでもわかる。家康という人物は、日本の歴史に対し先覚的な事業をすこしも遺《のこ》さなかったという点で、めずらしいほどの存在である。この桃も食えないほどの慎重さが、かれを先覚者にしなかった。しかし家康にはただ一つだけ先覚的要素がある。保健衛生の面である。明治後普及されたこの思想は、家康のこの当時、日本一般にそういう思想がほとんどなく、たとえあっても迷信呪術《じゅじゅつ》のたぐいで、合理的なものではない。家康は医学がすきで、中年のころには侍医も手古ずるほどの医学通であったが、保健衛生思想の面ではかれ自身が独創的に考え、かれなりのタブーをつくったが、それらは明治後の保健衛生思想からみてもおかしくない。かれは遊女が梅毒をもっているということで生涯接しなかったし、なま水はのまず、おどろくべきことにスポーツは健康にいいということをおそらく日本史上で最初に知ったかもしれない人物で、かれの鷹狩《たかが》りなどもその必要からのものであり、そのことは諸記録に出ている。しかしこれらのすべての衛生的教養はかれ個人の生存のためにのみ存在し、かれが天下人《てんかびと》になってからもそれを政治の場で公《おおやけ》にせず、このためひょっとするとかち得たかもしれない公衆衛生行政の先覚者という名誉を逸した。

とにかく、信玄のみるところ、家康は三十歳の少壮男子にすれば慎重すぎる男であり、

（だから、浜松城から出てこないかもしれない）

と、おもった。

ところが、出てきたのである。

——小僧、どうする気だ。

と、信玄でさえ、家康のために思った。信玄は家康が自分に対してはるかに私淑しているということは聞いている。忍人《にんじん》（非情の人）といわれた信玄といえども自分の私淑者に対して悪感情はもてなかったが、しかし合戦はべつである。さらにいえばこの合戦は信玄の半生の総まとめである「上洛《じょうらく》」の第一戦であるため、天下の風聞の手前、勝つにしても痛烈に勝たねばならない。できれば家康の若首をあげたかった。それを軍陣の先頭にかざしつつ西上すれば、沿道の諸豪や天下の諸大名は戦わずして信玄に屈するかもしれない。

信玄とその大軍団は、南流する天竜川を西へ渉《わた》った。この当時、天竜川はふた筋平行してながれている。

大天竜

小天竜

とよばれていた。

渉りおわると、いま秋葉街道とよばれている道をたどり、南下した。南下は浜松をめざしたことになる。浜松に来るのか、とこの間《かん》、家康の判断は混乱した。しかし信玄は有玉というところから道を西に転じた。つまり浜松の北方を西へ過ぎてゆく。西進は、信玄の本来の進路であった。

——信玄は浜松へ来ざるべし。

という判断が家康についたのは、このときであった。同時に家康は浜松城を出て、北へ北へと突出したのである。

信玄を待ち受けるつもりであった。信玄は三方ヶ原という台地を通るであろう。と家康は諜者《ちようじや》を放ってはするどく観察しているうちに、信玄とその軍団が、菩薩《ぼさつ》（いまの地名は欠下《がけのした》）という村を焼き、その煙のなかを、三方ヶ原にむかってのぼりはじめた。

三方ヶ原は、浜松の北方にある小高原で、その形状は箕《み》を伏せたようである。南北にながく約十二キロ、東西は八キロ、上辺はひらたいが、箕のまわりは谷間が入り組み、複雑な地形をなしている。この一帯には水が出ず、現今《いま》でこそ植林されたり農地になったりしているが、家康のこの当時は一面の草原であり、ところどころひねこびた松がはえているにすぎない。坂をのぼれば、わらじが染まるほどに土が赤い。

家康はここをえらんで信玄を待ったのは、信玄が通過すべき井伊谷への街道がこの台上を通っているからでもあったが、大軍を進退させるに都合のいい地形でもあった。ここへ達するまでの家康の行動は作戦上、文句のつけようのないほど隙《すき》がない。かれはじわじわとすすみ（武田軍が西へむかうか、あるいは浜松へくるかといったふうの志向をさぐるために）、やがて三方ヶ原の南端に達したのはこの日の正午すぎだった。南端は、土地では犀《さい》ヶ崖《がけ》とよばれている。頭上は三方ヶ原であり、家康の軍団は崖下に密集した。

この時機、なお家康は、

——武田はどう出るか。

と、すきまなく偵察している。武田がもし翻転して浜松を衝《つ》こうとしてもこの犀ヶ崖からなら、家康は浜松へ最短距離でひっかえせるのである。この犀ヶ崖で最後の戦闘準備をととのえたというのは、作戦家としての家康のあぶなげのない才能をおもわせる。もしこれが上杉謙信ならば、行軍中の武田軍（ほぼ二列縦隊でえんえんと延びきっている）を横撃することからはじめたかもしれない。家康はそこは慎重であった。敵は長蛇《ちようだ》の縦隊をつくって移動しているというのに、それをわざと見すごした。

信玄は、悠々とうごいている。

かれは菩薩村から三方ヶ原の西辺の坂をのぼると、しばらく台上を西進し、道路が辻《つじ》になっているあたりで行軍隊形をやめ、一軍を展開し、戦闘用の陣形をとった。やる気であった。来るものなら来いというつもりであったろう。それまで移動しつづけていた武田軍はもはやうごかず、この草原のなかにあたらしい山ができたようであり、旗のみが十二月の風にはためきつづけた。

それより前。――

家康は、戦術眼のある将校斥候を何人も出していたが、そのなかに鳥居四郎左衛門忠広という者が馳《は》せかえり、

――殿はどこにござるやござるや。

とひとびとを押しのけて家康の床几《しょうぎ》そばまできて、とても勝ち目はござらぬ、といった。敵は想像以上の大軍（徳川方の三倍）であり、それに行軍の様子は厳粛で、士卒は凛然《りんぜん》として士気満ち、まるで大鉄壁がうごいているようである、これにひきかえお味方は小人数で、もしこれに挑めば大怪我《おおけが》をするのみであり、ご退陣こそのぞましゅうござる、いやさ御退陣がおいやとあれば鉄砲の競合《せりあい》にて時をかせぎ、敵が堀田（地名・地形がせまく、大軍がここを通過すると混雑する）付近まで出たとき合戦をおはじめなされば万が一の勝ちがござるやも知れず。

と、噛《か》みつくようにいったのを、家康はいつもに似合わぬ狂《くる》い体《てい》で床几をたおして

半ば立ち、痩《や》せて骨の出た顎《あご》を鳥居四郎左衛門に突き出し、

「四郎左衛門、汝《われ》を平素大剛の者とおもうていたが、きょうは人変りがしたか、臆《おく》したか」

と、咆《ほ》え、まわりに眼をぎょろぎょろとまわしながら、

「みなもきけ。信玄なればとて鬼神ではあるまい、さらには四郎左衛門は敵は大軍と申したが、大軍がなぜおそろしきや、聞け聞け、三河者にとっておそろしいものはわしの命令《げち》のみぞ」

と、横びんを風にほつらせて叫びくるったあたりは、日ごろの家康ともおもえない。

臆病といわれて鳥居四郎左衛門はかっと立ちあがり、礼もせず、

――申されるにこと欠き、拙者を臆病とはなにごとぞ。

と、家康をにらみすえ、くるりと背をかえして本陣を出ながら唾《つば》を地に吐きつけたが、自分の組へもどると、

「殿のご様子をみればきょうのいくさは御勝利まちがいなし。おのおの、進みにすすんで忠戦せよ」

と言い、そのあとこの日の戦闘で、四郎左衛門は馬をあおって進み、おのれが臆病かどうかよう見よ、とわめきつつ武田勢へ突入して戦死してしまった。

台上で武田軍が休止して陣形をととのえているあいだ、家康もまた行動していた。かれはすでに犀ヶ崖の準備地をはなれており、そのあと全軍に坂をのぼらせ、一見、おずおずという印象ながらも武田軍に接近しようとした。この間《かん》、四キロ進んでいる。途中ことごとくのぼり坂であった。なおのぼり坂がつづいている狭隘部《きょうあいぶ》（左右が谷・地名は小豆餅《あずきもち》）まできたとき、家康はここが小軍にとって格好の展開地だとおもった。

武田軍団の先手《さきて》は、千五百メートルむこうにいる。坂の上にいる。

信玄に有利であった。信玄はごく自然に地形の利をとり、いちはやく坂の上で布陣し、家康を誘いあげる関係へもっていった。このあたり、玄妙なほどのうまさであった。家康は、かれほどに注意ぶかい男でなおこれに気づかず、陣形をとってから不幸にも自分が坂の下にいるということを、ようやく気づいた。信玄に気を呑《の》まれてしまっていたにちがいない。

信玄の陣は、

「魚鱗《ぎょりん》」

といわれる陣形である。魚鱗とは、ウロコをかさねたような密度と奥行きの深さをもち、全体としては中央部が突き出て人字形をしている。これに対して家康は鶴翼《かくよく》ノ陣を張った。魚鱗、鶴翼という術語と概念の原型は中国の兵法書にあるものだが、この時代のひとびとはそういう兵書をあたまに置いて陣形をつくっているのではなく、日本におけるながいあいだの相互刺激によってできあがったいくつかの型を、その場その場の判断と必要に応じてとっている。魚鱗ノ陣といえば一種の戦争美を感じさせるようだが、要するに密集隊形のことで、敵の中央を撃破して突破するのに有利である。これに対する家康の鶴翼というのは鶴がそのつばさを大きくひろげたようなかたちをいうのだが、要するに横に一文字に展開したすがたである。厚みがないため中央を突破されやすいが、そのかわり両翼が敵をつつんで包囲隊形を自然にとれる。敵を包囲することは勝利へのもっとも簡単な図式であり、明治後の日本陸軍も常套《じょうとう》的にこれを用いた。たとえ十数人の分隊単位でも敵を包囲することを運動の原則とし、二万人の師団でもその点はおなじ原則であった。家康は後年、もっぱら魚鱗ノ陣の重厚さをこのんだが、この三方ヶ原のときは、この場合の条件——たとえば自軍の兵力の劣弱——からいえば捨て身とさえいえる鶴翼ノ陣をとったのは、家康の一世一代の軽躁《けいそう》というものであったろう。武田の大密集軍に対し、約三分ノ一の兵力の家康が、幅のせまい幕を横一文字に張ったような横陣をつくったのである。落ちてくる岩石を、薄い絹の幕でうけとめようとするものであり、受けて包みこもうとする前に四分五裂してしまう。が、逆にいえば、少数の兵力をもって捨て身の戦いをしようとおもえば、家康がとったこの陣形しかないかもしれなかった。

右翼

酒井忠次《ただつぐ》と織田の援軍

左翼

小笠原長忠

松平家忠《いえただ》

本多忠勝《ただかつ》（平八郎）

石川数正

そして中央部のやや背後に、家康が旗本と予備隊をひきいて鎮《しず》まっている。

武田方の先鋒《せんぽう》は小山田信茂、山県昌景《やまがたまさかげ》、内藤昌豊《まさとよ》、小幡信貞《おばたのぶさだ》であり、戦闘が開始されればまずこの四部隊がするどい鉾《ほこ》のように揉《も》みこみながら突撃してくる。第二陣がそれにつづく。第二陣は先鋒以上に重厚で、信玄の世嗣《よつぎ》の武田勝頼《かつより》（二十八歳）の部隊と、武田家でもっとも高名な武将である馬場美濃守信春《みののかみのぶはる》の部隊がひかえ、その背後に武田信玄の直属の大軍がいる。

武田・徳川の両軍がこの陣形をとって、坂の上と坂の下で対峙《たいじ》したのは午後二時ごろであった。日のみじかい冬のことであり、大合戦が開始さるべき時刻としては遅すぎるかもしれない。

が、双方とも容易に仕掛けない。

家康がうごけぬ理由としては、

（武田勢が坂の上にいてはまずい）

ということがある。下から上を攻めるのは不利であろう。家康にとって待つことが大事であった。待てば武田勢が大軍であることに傲《おご》ってみずから駆けくだってくるかもしれない。そのとき、坂（傾面というべきか）の途中、武田の隊形がみだれるときをねらって急進し、左右から包んで横撃すれば十に一つの勝ち目はある、あとは運である、と家康はおもっていた。このためうごかなかった。

が、信玄はもとより動くはずがない。

（待っていれば、三河の小僧のほうからうごくだろう）

と、信玄はおもい、無数の旌旗《せいき》を森々《しんしん》と樹《た》てならべてしずまりかえっている。信玄にすれば家康の仕掛けを坂の上で待つことであった。

待つことだけがいまのところ信玄の戦術であった。坂の下の家康は、ときどき雲のなかの太陽の位置をさがしては、

（陽が、傾いてゆく）

と、いらだちをおさえつつおもった。豹《ひょう》に睨《にら》みすえられたうさぎのように、身うごきがとれない。逃げれば豹はえたりと跳びかかってくるであろう。進めば、豹の一撃が、うさぎの頭蓋骨《ずがいこつ》を粉砕するかもしれない。

家康は、例のくせで爪《つめ》を嚙みはじめた。頰のとび出た泣きっ面《つら》で爪を嚙むさまは、どうみても英雄とか豪傑とかいった種類の概念からほど遠かった。

結局、この対峙は二時間ものあいだつづくのだが、それよりも家康に爪を嚙ませた最大の事象は、援軍の尾張衆の陣地の旗並み、兵馬のざわめきからみて、最初から敗色をみせていることであった。

「織田殿ご援軍」

という丁重なことばをつかって家康もその侍大将たちも、この織田勢三千にはまるで高貴な客人でもきたようにしてあつかってきたのである。ところが、この戦意のなさはどうであろう。

家康とその部将たちにとってもこれほど意外だったことはない。近い過去では姉川の大会戦で、家康は自分の利害とは直接関係のない北国軍（北近江の浅井氏と越前の朝倉氏）とたたかい、戦いなかばで主力の織田勢がくずれにくずれたにもかかわらず家康と三河衆は一翼をまもり、もちこたえ、おびただしい戦死者を出しつつ進襲してついに敗勢を勝利へ転回させた。そのことはたれよりも信長と尾張衆がよく知っているはずであった。ところがこんど家康の急場になったとき、信長の尾張衆は、まるで飾り武者のような態度で、義理だけでやってきたようにのろのろと展開している。織田家の佐久間信盛《さくまのぶもり》も滝川一益《かずます》も、本国を出発するにあたって信長から、

——あまり働くな。

と、言いふくめられていたが、家康はそこまでは見ぬけなかった。

(あの連中は、自分を軽んじているのだ)

と、家康は解釈した。信長と家康の関係は身代《しんだい》に大小の差こそあれ、同格の同盟者にはちがいない。しかし実質的にも実際上も家康は信長の隷下《れいか》に属しているかたちであり、となると佐久間や滝川というような天下に名だたる織田家の軍団長格の男とは同格であった。佐久間や滝川の感情からすれば、

——浜松どの(家康)の軍配でうごくなど、片腹いたい。

とおもっているにちがいなかった。この織田勢の振るわなさについて酒井忠次もよほど気になったらしく、

——織田勢をおはげましあれ。

と、使番《つかいばん》(伝令将校)をよこしてきたが、家康はただ無言で爪を噛んでいた。かれ

らをへたに叱《しか》りつければ不貞《ふて》くされて陣をひきはらい、岐阜《ぎふ》へ帰るかもしれず、帰れば主人の信長にどのような悪口をいうか知れたものではない。

この織田勢のふしぎさは、当然ながら信玄の目にも映っている。信玄は先鋒の小山田信茂に使番を走らせ、

「まず尾張衆をくずせ」

と、攻撃の主眼をそこにむけさせるべく心用意させた。

時が過ぎた。信玄は、家康が軽々にいどんで来ない以上、いどませるべく挑発しようとした。信玄が開発した戦法に、

「カカリカン」

と、武田方でよんでいる常套のやりかたがある。少数の軽兵をさきに出して、敵に弱しとみせかけ、敵が図に乗って大挙いどみかかってきたとき、隠してあった大軍でそれを襲って殲滅《せんめつ》する。もっともこれは信玄の常套戦法であっても、かれの発明ではないかもしれない。この戦法は、三河や尾張などでは、

「餌《え》を飼う」

といわれる。野鳥を餌《えさ》でさそい出して獲《と》るという意味だろうか。信玄と家康との対峙は二時間つづいた。この状態をやぶったのは武田方からであった。百人ほどの赤具

足の徒歩兵が斜面を駆けくだってきた。

あっ、と家康は顔をあげて右前方を見た。

(餌を飼うのだ)

と、家康は事態をそう理解した。その徒歩兵たちは三河衆のほうにはゆかず、右翼の尾張衆の陣地のほんの五十メートルばかりまで接近(大胆なものだが)して、めまぐるしく投石をはじめたのである。

この戦法こそ、信玄の独創であり、どの地方のどの大名もこれはやらない。平素投石兵を訓練しておき、戦いのはじめ、まずこの部隊を出してさんざんに敵を撃ちしろませ、敵が混乱したときに武田家自慢の騎馬集団が密集して攻撃してくるのである。この戦法につねに堪えることができたのは越後の上杉氏ぐらいのもので、小田原の北条氏などは、これをひどくきらった。

織田信長も、武田の投石部隊のはなしは早くからきいていたが、かれはむしろそのことで信玄を嗤《わら》った。

——それならば、鉄砲組を作ればよいではないか。

というのが、信長の考えであった。鉄砲も礫《つぶて》も有効射程は百メートルである。どちらもその狙撃《そげき》効果よりも、霰《あられ》がうつように敵をうつことによって敵に面《おもて》もあげさせせないようにすくませ、そのすきに主戦闘部隊を突進させるという効果である。信長は家を継いだ早々から鉄砲をそろえることをはじめ、それも大量にそれを揃《そろ》えることをはじめた。このためかれの軍団は、他の大名の数倍もの火力装備をもっていた。

この点、武田信玄は鉄砲という新兵器についてきわめてにぶい感覚しかもっていなかった。当初は、

——無用のものよ。

と、すらいった。かれの好敵手の上杉謙信も鉄砲に対して懐疑的であった。上杉勢も武田勢も鉄砲は多少は備えていたが、その数は後世の大砲を連想したほうが早いとおもわれるほどにわずかでしかない。

一方、家康のほうは、さすがに織田の装備の影響をうけているだけに武田方よりも鉄砲の持ち数は多かったが、しかしそれでも後年の家康がみずから射撃術を学んだほどの熱心さでは、この時期はない。

さて、礫である。家康はおもわず床几《しょうぎ》から立ちあがり、礫に打たれる尾張衆を見ながら、

——堪えよ、堪えよ。

祈るようにさけんでいた。堪えるだけでいい。本来の武田戦法ならこの礫の嵐《あらし》を割

って騎馬集団の突撃があるのだが、この状況では信玄はそれはすまい。礫は、要するに「カカリカン」であり、攻撃の見せかけであり、礫兵は餌なのである。堪えていれば投石部隊は波のようにひいてゆくであろう。

ところが、ばかなことがおこった。織田勢はこの投石部隊が出現するや、

――すわこそ、武田の馬が出るぞ。

と、常識的な判断をしたのである。飛ぶ礫とともに敵の騎兵が出現して、織田軍を蹂躙《じゅうりん》するにちがいないと織田方の諸将はおもった。思った証拠に、わっと崩れ立ってしまったのである。旗がみだれ、騎馬武者が馬首を東へ西へとまわしながら総崩れになった。信じられぬことだが、かれらは礫で退却したことになる。武田信玄は、これを総攻撃の好機とみた。

武田方の陣地から戦鼓がひびき、陣貝《かいぼ》が咆えに咆え、馬蹄《ばてい》で斜面がとどろいた。信玄はその主力の大半をもって織田方にあたらせた。織田方は一人もふみとどまらず、すばやく退却した。

家康の鶴翼陣は、たちまち右翼をもぎとられて、陣のかたちをなさなくなった。家康としてはいまさらどうするすべもない。残る左翼をもって坂の上をめがけて突撃するしか法がなかった。家康は床几を蹴《け》って馬上の人になった。

「かかれやっ」

と、鞍《くら》をたたくと、坂の上の信玄はおそらくはひざを打ったであろう。思うつぼであった。家康軍が斜面を駆けのぼりはじめたとき、武田勝頼の第二陣を突進させ、家康方を正面からおさえるとともに、左右から横撃させた。乱戦になった。

家康という男のおもしろさは、戦闘がたけなわになると床几をすて、馬に乗り、総大将みずからが鞭《むち》をあげて乱軍のなかに駆け入り、将士に揉まれながら輪乗りに乗りまわし、鞍の前輪をたたきながら、

「かかれかかれ」

と、声をかぎりにはげますところであった。これは古来めずらしいといっていい。古くは源義経《よしつね》がそれをしたが、源頼朝《よりとも》は床几大将であった。足利尊氏《たかうじ》もそれをせず、上杉謙信はそれをした。武田信玄はつねに定位置は床几であった。信長は、初期にはそれをした。家康は謙信のような剽悍《ひょうかん》な勇将ではなかったが、しかし馬上指揮をする点については、まるで一つ覚えの専門わざのようであった。

『岩淵別集』

という書物に、こういう話がでている。以下その直訳。——

「合戦に臨ませたまうと、はじめのほどこそ采配《さいはい》をもって指揮をなさるが、戦いが烈《はげ》

しくなってくると、御拳《おこぶし》をもって鞍の前輪をたたかせられ、かかれかかれと御下知《おげち》あり。そのあげくのはて、御指のふしぶしから血が流れ出るのもかまわれない。戦いがおわってお薬をおつけなさるが、それがなおりきらぬうちにまた戦いがあったりして、このため指の中節《なかぶし》は四本ともたこになり、御齢《とし》をとられてからは、御指がこわばって、伸びちぢみもやすらかでない御様子であった」

『武功雑記』には、家康の直話として、こうある。

「いまどきの軍《いくさ》を指麾《しき》する者は、じつにだらしがない。たいてい床几に腰をかけ、采《さい》を手にし、自分では手も出さず、ただ言葉ばかりの下知をしている。こんなことでいくさに勝とうということがまちがいである。惣《そう》じて一軍の将たる者は、士卒のボンノクボ（うなじの中央のくぼんだところ）ばかり見ていてはとても勝ちを得ることができない」

戦いがはじまったのが、午後四時である。織田方が退却してしまったあと、右翼で孤軍になってしまった三河の酒井忠次が、

――死ねや、三河者の名を惜しめや。

と、土臭い三河衆を叱咤《しった》して武田方の小山田信茂の部隊と激突し、もみあううちに

なんと小山田部隊を三町も退却させるほどのいきおいを発揮した。これには指揮官の酒井忠次もわが勝ちながらおどろき、

「見たか、甲州勢とて鬼神ではないわないわ」

と、わめき叫びつつ前へ前へとすすむうち、前方が真赤になったかとおもわれるほどの勢いで武田方の新手《あらて》の山県昌景部隊が、小山田部隊にかわって出現した。戦場の交代のくりかえしは、ひとつは武田方の陣法でもあった。酒井隊はこの新手に出遭って手もなくくずれてしまい、多くの武者を討ちとられつつ退却してきた。家康はそこへ駆けつけ、ふたたびはげました。

すでに徳川方の横陣はずたずたに切られてしまい、小部隊ずつがそこここに孤立して武田勢の大波のなかであがいている。一隊の姿をなしているのは、家康の旗本と老練の石川数正の部隊ぐらいのものであった。石川数正は、押しよせてくる馬場美濃守信春の騎馬部隊を前に、おどろくべき鎮静さを示した。

「おのおの、馬からおりよ」

と、馬をすてさせ、地面に槍《やり》をかまえて折り敷かせた。数正の思案では天下最強といわれる武田の騎兵に対して味方も騎兵でたたかうのは不利だとみた。逆に徒歩《かち》兵にさせ、折り敷かせたのである。よほどの勇気と命令に対する従順さの要る動作であっ

たが、三河者たちはこれに従った。その頭上を飛びこえるような勢いで馬場信春の騎馬部隊が襲いかかったとき、いっせいに槍の穂をあげて敵の馬腹を突いたり、馬の前脚を払ったり、必死で闘った。が、この戦法もむだであった。戦闘の中ぎれがあって石川隊がわずかに息をつこうとすると、武田方はそれをさせなかった。馬場隊のあとに武田勝頼がきびすを接して後続していて、疲労しきった三河兵の頭上に太刀《たち》をあびせ、槍を繰りだし、ときには馬蹄で蹴り、この為《ため》三河勢はたちまちくずれた。家康はそのくずれへ現われては、鞍の前輪を連打し、

「わしもここで死ぬぞ死ぬぞ」

と、声を嗄《か》らし、狂い声をあげて叫んだため、叱咤されている指揮官の石川数正のほうがおどろき、

――殿は正気かっ。

と、乗り寄せて家康に一喝し、さらに乱軍のなかに駆け入ったが、すでに徳川方は最初の陣地より数町は押しさげられてしまっている。

そのくせ、武田方のほうは信玄の本軍が旗竿《はたざお》もうごかさずにしずまりかえっているのである。やがて信玄は、

――ちょうど機会《しお》か。

と、陣貝《かい》を吹かせ、総攻撃を命じ、自分の直属軍の半分を戦場に投入した。これが、家康の敗戦を決定的にした。

（家康は、たとえ生きのびても二三年は起ちあがれまい）

と、信玄は戦場を望見しつつおもった。信玄は、麾下《きか》の兵に、十分に追撃させるつもりでいた。少々深追いしてもいい。追撃によってできるだけ戦果を拡大し、徳川方の名ある者を討ちとっておけば、家康の早期回復が不可能になり、ひいては近くおこなわなければならない織田信長との決戦の有利な条件をつくることになる。

「追え、追え」

と、言いながらも信玄の用心ぶかさは、この大勝利のなかでなおかつ四方に偵察者を派遣して敵方のまわりの状況を見とおそうとしていることであった。信玄の懸念《けねん》は、

——織田の衆が、まだ来るのではないか。

ということであった。さっき、織田勢は三千にすぎなかった。三千は、吹き散らされた灰のように散じてしまったが、織田と徳川の結びのかたさからみて、あれではすくなすぎるようであった。あるいはなお、未着の織田勢が東海道のどこかを行軍中なのではあるまいか、と信玄はうたがいつづけていた。ついでながらこのときの家康にとって唯一《ゆいいつ》の幸運は、事実未着の織田軍が——わずか三百ほどではあったが——この敗

戦を知らず三河路を東進していたことであった。武田の偵察者がこれをみてやや過大な数を信玄に報告した。信玄は自分の想像が的中したことに満足し、

――さもあろう。

と、顔だけは苦くつくってうなずき、すぐ使いを前線へやって、深追いをひかえさせた。信玄にはそういうところがあった。かれほどの戦争上手は古来まれといえるが、その彼が天下をとりえなかった理由のひとつは、この慎重さによるものであったかもしれない。

陽が落ちたが、わずかに残光がある。

戦場を駆けまわっているのは甲州兵のみで、わずかに逃げおくれた三河兵も、つぎつぎに討たれている。戦死三百人で、そのうち名ある者は本田忠真、鳥居忠広、成瀬正義、松平康純、米津政信。

家康は、逃げた。

家康は、三河一揆《いっき》のときも、一揆兵に追われ、馬上で伏せて身一つで逃げたことが何度もある。かれはこの時期までの半生のうち、戦の敗けくずれというものをしばし

ば体験した。この時代の名のある将のなかで家康ほど敗走の経験の多かった者はない。この点は、漢の高祖に似ていた。信玄や謙信にはこれがなく、信長はまれに戦略的退却をすることがあったが、秀吉にいたっては身ひとつで逃げだしたというような経験は一度もない。

——勝ってばかりいて、一度も負けたことがないという人間は、どこかよろしくない。

と、家康は晩年、語っている。

「自分は三方ヶ原で大敗けに敗けたが、この敗けがその後どれほど薬になったかわからない」

と、いう。家康は、信長や秀吉のような天才ではなく、自分の体験を懸命に教訓化し、その無数の教訓によって自分の臓腑《ぞうふ》を一つずつつくりあげたような男だけに、戦勝よりも戦敗のほうが教訓性が深刻で、いわばためになった。

ともあれ、三方ヶ原において家康がうけた最終的な大打撃は、

「中筋切立《なかすじきりた》てられた」

ということであった。甲州軍のために中央突破されたという意味である。このため津波に遭ったように家康は敵のなかにいる自分を発見した。ただ一騎で逃げた。

「御鑓持《おやりもち》の九蔵、下がり候《そうろう》」

と、『校合雑記』に大久保彦左衛門の談が出ているように、槍持も家康に追いつけない。代って彦左衛門が槍をもった。ところが、

――あまりに御馬の足が早く、拙者が息もたえだえになり、遅れに遅れた。あまりの苦しさにこの御槍をすてようと何度おもったかわからない。

と、彦左衛門は語っている。

この潰走《かいそう》の寸前、家康は若かったのか、一度錯乱した。武田方の城伊庵《じょういおり》という将が、逃げてゆく武者を家康とは気づかずに、追ってきたとき、家康はふりかえりふりかえりしてついに狂乱し、

――もはや逃げきれぬ。死ぬる死ぬる。

と、にわかに城《じょう》の隊へ馬首をめぐらし、斬《き》り死にしようとした。その家康の馬のくつわをとっておさえたのは、夏目次郎右衛門正吉《まさよし》という男だった。

夏目正吉はすでに五十四歳になる。かつての三河一向一揆のとき家康の家臣の過半が一揆方に走ったが、この夏目正吉も、「主従の縁は一代、弥陀《みだ》の本願は未来永劫《えいごう》にたのむべきものなり」と岡崎を脱走して一揆方の大将のひとりになった。元来が忠誠心のつよい三河人の典型のような人物で、一揆に走ったのは他の連中と同様家康に対

する不足ではなく、たまたま阿弥陀如来《あみだにょらい》への忠誠心のほうがより激しかっただけのことであり、家康はそれをよく知っていた。やがて一揆の勢いが凋落《ちょうらく》し、夏目がまもっていた三河国額田《ぬかた》郡野羽の要害も陥《お》ちたため、かれは走って針崎の寺にこもり、そこも陥ち、ついに窮して寺の蔵の中に逃げこんだ。家康はそれをたすけ、他の一揆加担の連中ともどもいっさいを不問に付してもとの知行に復さしめたため、夏目は感激し、いつかは家康のために一命をすてようと心掛けていた。

夏目はこの日、戦闘には参加していない。浜松城の留守をうけもっていたが、敗報をきき、敗軍を救出すべくいそぎ手勢をひきいて城を出た。急行して犀ヶ崖あたりまできたとき、落ちてくる家康に出遭った。家康は夏目の顔を見るなり、急に、

「死ぬる死ぬる」

と、さわいだのは、冷静な者が傍目《はため》でみればおかしかったろう。家康ほどに愛嬌《あいきょう》のうすい、ひとに甘える心のすくない男でも、この大敗軍のなかで、城から老臣《おとな》の迎えをうけたときは、感情の底がへたへたと抜けてしまったのかもしれない。もっとも、窮境にはあった。背後から敵が追ってくるし、このさき浜松へ逃げようにもその退路がふさがれているかもしれず、雨のなかの家康の気持は絶望に近い。夏目は、家康が自分の顔をみたときに死ぬる死ぬるといってくれたことに、はげしく感動し、戦慄《せんりつ》し、

自分が代りに死ぬことを覚悟し、その覚悟が、夏目の昂奮《こうふん》になって、殿は葉武者ではござるまい、殿が死ねば三河の者はちりぢりになり、諸国をさすらわねばなりますまい、某《それがし》が代りたてまつる、と家康の馬の尻《しり》を槍ではげしくたたいて愕《おどろ》かせ、疾走させた。家康の姿が林中に消えたのを見とどけたあと、夏目は手の者二十人ばかりとともに進み、たちまち城伊庵の手の者を二人突き伏せ、そのあと家康の名を名乗って戦死した。

ついでながら、家康は後年、関東に入部してからこの夏目正吉の子の吉忠に伊豆韮《いずにら》山《やま》で一万石をあたえて父の死にむくいようとしたところ、吉忠がほどなく死んだため絶家した。次男は信次と言い、不肖の子で、家康の浜松時代、城下で人を殺して出奔した。その後老年になるまで諸国を流浪《るろう》し、落魄《らくはく》しきっていたのが、慶長十年、本多正信のもとにあらわれ、哀れみを乞《こ》うた。家康はこれをきき、「夏目が子なら、たとえ不義の者でもすてておけまい」として、五百六十石で召しかかえている。

家康がとった道は、このあたりで雉道《きじみち》といわれる間道であった。道がわるく、雑木の枝や蔓《つる》をはらいつつ、家康自身の表現でいえばジタジタと（『校合雑記』）すすんだが、このジタジタについては晩年、このときの話を夜ばなしでしていたとき、その席に大久保彦左衛門がいて、

——殿はうそをいわれる。ジタジタどころか、殿のお馬は飛ぶように早《はよ》うござった。拙者はなんとか追いすがろうとして駆けましたが、たちまち五六町も遅れ申した。

と、家康の記憶ちがいを訂正したが、家康はそうかえ、しかしどう思い直そうと、わしの記憶ではジタジタであった、と固執した。途中、追いすがる甲州兵を、家康みずからが騎射してたおしたりした。家康はときに一騎になったが、やがてそのあたりを駈《か》けていた郎党たちが家康をみつけてその馬側をかためた。畔柳《くろやなぎ》助九郎、菅沼《すがぬま》藤蔵、三宅《みやけ》弥次兵衛、天野三郎兵衛、大久保新十郎、成瀬小吉、小栗《おぐり》忠蔵などであった。かれらのほとんどが戦場で馬をうしない、徒歩であった。家康は大久保新十郎が負傷しているのをみて、

「忠蔵、馬を新十郎に貸してやれ」

と、小栗忠蔵にいった。小栗も股《もも》を槍で刺しつらぬかれていたが、家康にはその傷が見えなかったのであろう。三河者の忠実さのいい例が、小栗であった。かれはすぐ大久保新十郎（忠隣）に馬を貸しあたえ、自分は徒歩《かち》立ちになり、びっこをはげしくひきながら家康のあとを追った。

道は浜松ちかくになって、広くなった。家康はすこし落ちついてきた。途中、高木九助という者が槍を杖《つえ》にして落ちてゆくのに追いついたころは、

「九助、手柄をたてたか」

と、声をかけるまでになっていた。九助はあの惨憺《さんたん》たる退口《ひきぐち》で小返《こがえ》し（わずかに引返すこと）し、法師武者の首ひとつを刈り獲《と》った。それをたかだかとかかげると、家康は、

（ああ、法師首なら）

と、とっさに思案した。この首を信玄どのの首であると称して浜松の城中の者へ呼ばわらせよう、とおもった。城中は敗報をきいて士気が落ちているに相違なく、とくに遠州での新付《しんぷ》の被官などは今夜にも城を脱《ぬ》けて在所へ逃げ帰る者があるかもしれない。この九助に「信玄どのを討ちとった」と城門でかざさせれば、たとえうそでも一時の士気のたてなおしになるであろうということであった。

「早うゆけ」

と、菅沼藤蔵の乗馬を九助にあたえ、先行させた。

その直後、家康はふたたび動転せざるをえなかった。背後で馬蹄《ばてい》のとどろきが湧《わ》きおこり、ふりかえると、おびただしい松明《たいまつ》が家康のあとを追ってきた。馬場信春、山県昌景の追撃軍であった。家康は一息入れたときだけに恐怖は以前にまして大きく、夢中で駆けだした。おもわず、馬の首に顔を伏せながら鞍壺《くらつぼ》で糞《くそ》を洩《も》らしたというの

は、このときであった。そういうたぐいの話まで三河衆のあいだに伝わるほど、家康とかれら主従の間柄は田舎くさく、それだけに徳川の家中には織田家や武田家などにはない肌ぬくもりのなまなましさがあった。

家康は城の大手門から入らず、玄黙口《げんもくぐち》といわれる搦手門《からめて》から入った。この玄黙口の城門をまもっていたのは家康の幼少のころの遊び相手である鳥居元忠で、すぐ家康の鞍壺のにおいに気づき、そのことをいったが、家康は、

「気づかなんだ」

と、元忠の冗談を黙殺し、よいか、門の内外の篝火《かがりび》をさかんにして昼のようにせよ、門は大きくひらき放つべし、大手門もそのようにせよ、そのように伝えよ、とつぎつぎに命じた。元忠はおどろき、

「それでは敵が付け入りましょう」

というと、

「彦右衛門（元忠）」

と、家康は地面を鞭《むち》でたたきつつ大声でいった。

「もはやわしが戻ったのだ、敵を一歩たりとも寄せつけるものか」

大声でいったのは、城兵にそれを聞かせて士気を盛りたてるための芝居であったの

だろう。しかしそれにしても敗軍のなかで城門を開け放つというのはおそろしくもあり、戦場で爪《つめ》を噛《か》んだり、遁走《とんそう》中に脱糞《だっぷん》したりする男のできることではなかった。このあたりも、家康の性格の不可解なところであろう。

家康は、城門を開放することによって城兵に退守の気分をすてさせ、もう一度野戦する勢いを持続させようとした。さらにはあかあかと大篝《おおかがり》をたいて城門のひらいている光景を敵に見せつけることによって、敵をして一思案させようとした。敵は、家康に計略《はかりごと》があるとおもうであろう。それによってかえって敵は付け入ってこないということを、家康は十分見込んでいた。家康はごく自然な臆病《おくびょう》人ではあったが、しかし一面、物事を知恵でもって見込み、あらゆる場合々々の安全の限界を十分に把握《はあく》することができた。この時代のことばでいう見切りの利《き》く男であった。慄《ふる》えながらも、見切りの限度内では理性でふるまうことができ、それが傍目《はため》からみればときには超凡の豪胆さにみえたのかもしれない。

かれは本丸にもどると、ひとびとのあいさつにもろくに応《こた》えず、

「ムツカリて」

と、いう。不機嫌そうに、という意味である。そんな面付で、

「えい、らちもない戦をしたわ」

と、まるで大工などが骨折り損のしごとをして戻ったときのように、その程度のさりげなさでひとりごとを吐き、久野《ひさの》という女をよび、湯漬けをもってこさせた。それを三椀《わん》まで食ったあと、枕々《まくら》と言いつつ横になり、やがていびきをかいて寝入ってしまった。久野はその頭に枕をあてがったが、目もさまさない。

「——殿は、いま御寝《ぎょし》じゃ、お胆のふといことよ」

と、すぐ城内のすみずみまで伝わって、城兵を感嘆させたり、勇気づけたりした。物頭《ものがしら》（隊長）や物主《ものぬし》（将校）たちもいちように陽気になり、夜が更《ふ》けてから、

「武田勢に夜討ちをかけるか」

と、大久保忠世と天野康景《やすかげ》がおもいたち、家康をおこして申し出、許可を得た。かれらの夜襲は斬りこみでなく、敵の野営地に鉄砲を撃ちかけるだけの夜襲を計画した。兵をあつめると、さすがに敗軍のあとで、やっと百にも足らぬ鉄砲足軽があつまった。

この作戦は、意外な奇功を奏した。夜道を忍びに忍んで武田方の犀ヶ崖の宿営地（穴山梅雪隊）にちかづき、それも敵の寝息がきこえるほどにまで這《は》い寄り、百梃《ちょう》の鉄砲がそれぞれ夜気を裂いて轟音《ごうおん》をはじけさせたため、穴山隊は大混乱をおこし、足をすべらせて犀ヶ崖の渓流に落ちて死ぬ者が数百人も出た。

——家康、奇特《きどく》なり。

と、信玄はあとでほめたというが、このときの武田陣の様子は、騒擾《そうじょう》したのは被害をうけた穴山隊だけで、他の宿営はしずまりかえって人声ひとつしなかったという。

このあと、信玄は浜松城には触れず翌日から行軍を開始し、遠州刑部《おさかべ》まですすみ、ここで全部をとどめて越年した。ついでながら信長はなおも信玄の機嫌をとろうとして刑部まで使者を送ったりしたが、信玄は三方ヶ原合戦に織田勢が加わっていたことを責めてゆるさず、信長との外交を断った。

このあと、信玄の西進の速度はにぶくなっている。かれは三河野田城を攻め、これを抜くのに一カ月を要した。ところが二月なかば健康を害し、このため前線からしりぞいて三河設楽《しだら》郡鳳来寺《ほうらいじ》で病をやしなわざるをえなかった。天正元年四月十二日、信玄は陣中で没した。このあと武田軍は甲州へ撤退し、これによって戦国の形勢が一変した。家康は滅亡からすくわれた。信長の運命はいっそうに上昇し、この時期をさかいに夜が明けたかのようであった。

閨《けい》閥《ばつ》

こういう種類の好色は、なんと言うべきなのであろう。家康は閨《ねや》のことを好み、かれの閨にはつねに婦人がいた。驚嘆すべきことであったが、かれは死ぬまで婦人を閨にはべらさずに寝ることはまずなかった。

「どうも老いると、閨のことが多少からだにひびくようだ。ところが鷹野《たかの》にゆくとその期間だけ遠ざかる。わしが鷹野をこのむのは、ひとつは健康のためである」

と、家康は晩年語っている。かれは健康にひびくかとわれながら不安に思うほどに閨房《けいぼう》のことを愛したが、しかしこれは好色という華やかなことばにはあたいしないであろう。かれは日に日にめしを食うようにして婦人に接しつづけただけのことであり、好色というものではなかった。まして漁色という、つねに美しい幻想を追いもとめる精神の弾みもなければ、淫蕩《いんとう》という心の腐蝕《ふしょく》もあるわけではない。他に例をもとめると、信長は女性の美しさを追いもとめ、美しいものであれば同時に少年をも溺愛《できあい》した。さらには秀吉は漁色家であった。こういうことは、信長も秀吉も美的生活の数奇者《すきしゃ》であったのに対し、家康は絵画、音曲、茶道などにきわめて鈍感で、ほとんど興味を示さなかったこととかかわりがあるかもしれない。

とにかく、家康はそういうたぐいの好色者であった。

ところが彼にも、やりきれぬ女性というものはあった。

「築山《つきやま》殿がそうらしい」

というのは、三河衆のたれもがみているところであった。築山殿とは、正妻である。年上であった。それも十歳の年上であった。

築山殿は家康が駿河《するが》の今川氏の人質として駿府《すんぷ》城下の人質屋敷にすんでいた少年のころ、今川義元のさしずでその妻になった。このことはまえに触れたし、また彼女が今川家の支族関口氏の出であり、それが彼女の気位を高くしていたことなどもすでに触れた。

「私のおかげで、殿は生かされている」

とまで、築山殿（このころは、三河衆は彼女を駿河御前《ごぜん》とよんでいた）はおもっていたし、それを露骨に態度であらわした。げんにそうであった。家康が今川氏の支族（義元のめい）の女を娶《めと》ったればこそ彼のいのちも保障されたし、今川の被護者としてのかれの将来やら安全やらも保障された。

が、永禄《えいろく》三年の桶狭間《おけはざま》の戦いの結果は、東海の政治地図を一変させてしまった。勝者の信長はこの一戦を跳躍台として飛躍し、敗者の今川氏は大将義元が織田氏のために首をあげられてしまっただけでなく、あとつぎの氏真《うじざね》が暗愚で、やがて家も国もうしなうにいたる。

しかも家康はこの一戦をさかいにして三河で自立し、岡崎城主としてもどった。だけでなく、今川氏と縁を切り、今川氏にとって敵であった織田氏の同盟者になった。今川氏の背景だけが家康とその家臣団に対する権威であった築山殿にとって、踏台を払われたようなものであった。

しかも築山殿にとっての不幸は、実家の父関口親永《ちかなが》までが、婿《むこ》の家康が織田氏にはしったことについての責任を今川氏真から問われ腹を切らされてしまうのである。築山殿は、実家をすらうしなった。

「冗談ではありませんよ」

と、築山殿は、何度も家康に甲高くののしったにちがいない。家康が今川から織田へ鞍《くら》がえしたことで、実家《さと》じまんの彼女は実家の父をすらうしなったのである。

「詮《せん》ないことだ」

と、家康は忍人《にんじん》ではなかったから、何度も彼女をなぐさめたにちがいない。弱国は孤立できない。生きるには強国に隷属《れいぞく》するほかなかった。いま東の今川が衰えた。家康としては西の織田氏と同盟するほかしかたがないではないか。でなければ徳川の家そのものがほろびるのである、と説いたであろう。

このくだり、筆者は自信がない。あるいは家康はだまっていたかもしれない。築山殿という女性には、そういう夫婦としての打ち割った内輪ばなしができる資質やら情感やらが欠けていた。もし、

——織田どのにつくしか仕方がない。

とでも家康が囁《ささや》こうものなら、築山殿は癇《かん》で血迷うたときに信長へ密書を送り、訴え出るかもしれないようなところがある。「家康はあなたと同盟しているのはじつはうわべだけのことで、本心はどうだかわからない」というようなことを、であった。やりかねなかった。のちにちょっと信じがたいようなことを仕出かしたこととおもいあわせればである。

家康は、十四歳で女性を知った。十歳上の築山殿によってであり、すでに成熟していた彼女にすれば、

「わが殿は、私の言いなりになっておとなになった」

という気持があった。夫などは閨で叱《しか》りつければ言いなりになるとおもっていたし、

げんに最初の五六年はそうであった。家康も、築山殿との閨に熱中した。子もうまれた。長男信康《のぶやす》と長女亀姫《かめ》である。

岡崎城内に、築山という一郭がある。鬱然《うつぜん》と樹木がしげっている。駿府から岡崎へ移った彼女は、信康や亀姫とともにその御殿に住んだ。このため、

「築山殿」

とよばれた。

三河衆のおもしろさは、鎌倉のころの郎党のように質朴でその主人に忠実なかわり、他国者に対しては猜疑《さいぎ》ぶかく、底意地をふくみ、陰にまわって悪口をたたくところがある。ましてなが年駿河衆に支配され、人がましいあつかいをうけていなかったうらみがある以上は、岡崎へやってきた築山殿に対して無邪気であるはずがなかった。

「あの方が、今川をかさに着て殿をいじめ参らせた駿河御前か」

という先入主で彼女をみた。彼女にすれば家康を可愛《かわい》がったおぼえはあっても、いじめたという気持はさらにない。そういう三河衆のささやきが、侍女を通してしばしば耳に入った。侍女たちも当然駿河からついてきた。自然彼女の住む築山御殿は、駿河者のとりでのようなかたちをなしていた。かつては三河者は犬臭いと言い、猿かなんぞのように毛が三本足りぬというほどに見くだしていたその三河衆の城に住むとい

うこのあたらしい運命は、築山殿にとってもその侍女たちにとっても、こころよいはずがなかった。彼女らは寄ればかならず情熱的に三河の悪口を言い、

「これほど、人がせせこましく、いやな土地はない」

といったぐあいの結論になった。

が、彼女らをとりまいている三河衆のほうの陰口はもっとひどく、

「築山御前は、娘のころから尻軽《しりがる》で、殿は押しつけられなされたそうな」

というたぐいの露骨なもので、かれらは彼女を国主夫人として見るよりも駿河女として見た。駿河女は淫蕩という見方が三河にはあった。のちに彼女が中国人の医師を閨にひき入れて毎夜たわむれているといううわさが、事の真偽はべつとして三河では口々にささやかれた。事実がどうというよりも、それを事実として信じたがる気分が三河にあるということのほうが、この場合重要であった。

ただ、明白な事実がここにある。家康が、昼間に築山御殿にわたってくることがあっても夜陰その正夫人の寝所に入るということは、織田氏に同盟して以来、絶えてなくなってしまっているのである。

「殿も、きらわれているそうな」

と、三河衆たちは、それが築山殿の悪徳の証拠でもあるかのようにささやいた。な

るほど築山殿は徳望というようなものは、毛ほどもなかった。しかし家康がその閨を訪れぬという、女性にとってのこの不幸まで人格論のたねにされては、築山殿もたまったものではなかったであろう。

家康は、なるほど築山殿から遠ざかっている。が、その理由は、家康のほうにあった。家康は、他の婦人と閨で見《まみ》えることできわめて多忙であった。

（いまさら、あの権高な女と）

という気持が、家康にある。この権高ということは築山殿の人格問題でなく、家康自身の性欲の課題にすぎない。家康は、閨の片すみで小さく肩をすぼめて家康のしざまを待っているような従順な女に情念をはげしく刺激されるたちであった。なによりもかれにとってにがてなのは、気位の高い女と、かれに対してあれこれと指図をしたがる女であった。築山殿がそれであり、その極端な存在であった。しかも築山殿は、政治好きなのである。いや、もともとこの両人は政治的環境のなかで夫婦になった。はじめは妻が政治的優位に立ち、のちそれをうしなった。そのためつい築山殿が家康に訴える話柄《わへい》が、政治的にならざるをえない。

「なぜわたくしをお嫌いあそばす」

などということは、築山殿はいったことがない。おなじ内容ではあっても、

「なぜ、今川殿をお救いにならないのです」

という表現で家康にせまった。

「殿ほど酷薄なお人はない。織田殿に媚《こ》び、今川殿のご恩をおわすれになった。それでも人ですか」

といったような調子であった。そのことばは、つねに甲高かった。その甲高さのなかに訓戒、威圧、要求、厭味《いやみ》、怨嗟《えんさ》が、毒焔《どくえん》のようにこもっていた。ただささえ年上で容色が衰えている。それが顔をあわせるたびにこのようでは、いかに婦人の美醜にあまりこだわらぬ家康でも、ひそかに閉口せざるをえない。が、あくまで私《ひそ》かにであった。そこが家康のおかしさであった。この男は、心臓をおおっている肉がよほど厚いらしく、平素家来に対しても悪感情を露骨に示すことがなく、怒って手討ちにしたといったたぐいのこともない。築山殿に対しても同様であった。昼間、殿中で顔をあわせることがあっても、表情をできるだけ柔和にして、

「ご機嫌なようで」

と、手厚い態度をとった。ただかれの不都合さは、築山殿の閨へゆかなかっただけのことである。

築山殿は、どうやら多淫《たいん》らしい。

彼女は、鳥肉を好んだ。三度鳥肉をたべるということで、食生活は淡泊がいいと信じこんでいる三河衆の目をそばだたせた。一種の悪徳であった。そのことと、彼女の性欲が不幸なほどに大きいということとつながりがあるかもしれない。この時代の婦人は三十半ばをすぎれば皮膚を枯らし、からだに潤《うるお》いをうしなうのがつねで、空閨が習慣にさえなれば、十分にそれに堪《た》えることができた。が、築山殿の不幸は、そういう体にはできていないことであった。生来大きすぎる欲望が、きわめて不自然な状態で充《み》たされずにいる場合、飢餓は大きいであろう。その飢餓感が、彼女に異常な行動をとらせた。

若い侍女がいた。

お万といった。

この侍女がひそひそと家康に寵《ちょう》せられていると知ったとき、築山殿がとった折檻《せっかん》のすさまじさは、三河衆の胆《きも》をひやした。築山殿はおおぜいの侍女を指揮してこの小娘をとらえて来させ、

「赤裸にしや」

と、命じた。

若い肌があらわれた。湯もじもとらせた。その肌がずたずたになるまで笞《むち》で打ち、さらに血がかよわぬまでの強さで縄でしばり、その白い物体を庭の松の木につるし、吊《つる》しては打ち、ついに大縄をもって梢《こずえ》までひきあげ、一晩夜風にさらした。小娘は懐妊していた。築山殿は小娘を梢に曝《さら》して干し殺しにするか、それともそれによって孕《はらみ》子《ご》が水になるかのどちらかを期待した。

が、夜中たまたまこの樹《き》の下を通りかかった本多作左衛門という骨硬い三河者が、樹の上ですすり泣く声に気づいてたすけおろし、ひそかに城外へつれだし、自分の屋敷でかくまった。このお万がのちにうんだ子が、家康の第二子結城《ゆうき》秀康《ひでやす》である。お万は、家康ごのみの微賤《びせん》の出であった。のちに小督局《こごうのつぼね》といわれた。

こういうさなかでも、家康は築山殿と顔をあわせると、

「ご機嫌なようで」

と、手厚くあいさつをした。

しかしやりきれなかったのであろう。家康が遠州浜松に主城を構えたとき、自分の常駐場所をそこへ移したが、築山殿は三河岡崎城に置きざりにした。むろん名目があった。あとつぎの信康を、少年の身ながら岡崎城主にした。築山殿は城主の母堂であ

る以上、岡崎に住むのが当然であろうということである。

体《てい》よく捨てられた、と築山殿はおもった。彼女がおもったというより、その性的体質が、この程度の事態を、これほど激しい表現でとらえるようであり、築山殿の心はそのようにしてできあがっていた。当然、行動を欲した。

「夜歩きなさる」

という評判が、城下に立った。男をもとめてである。このうわさが、浜松あたりまでゆくと大きくなり、

「越前（福井県）まで旅をなされ、みちみち男を漁《あさ》ってゆかれたそうな」

といううわさにまでなり、はるかのちの江戸時代ですらなお旗本衆のあいだでそう信じられた。このあたり、三河衆の噂《うわさ》をつくるばあいのあくの強さと空想力の大きさは、ちょっと他国に類がなかった。草深いせいなのであろう。築山殿がひとたび悪女として三河衆の空想世界に登場した場合、地獄図絵にある鬼どものような姿にまで彼女を仕立てあげ、さらにはそれに『西遊記』のばけもののような飛翔《ひしょう》力すら持たせて三河から越前へゆかせた。さらにもっとも非凡なうわさとしては、

「越前の守護大名朝倉義景《よしかげ》どのの妾《しょう》になられた」

とまでいうのがあった。朝倉家は天下の名家であり、義景はその首都一乗谷《いちじょうだに》で京風

の生活をたのしんでいる。この累代《るいだい》の貴族が、三河からきた不器量な初老の女（家康はまだ若かったが）を愛さねばならぬほどに婦人に不自由はしていなかった。

むろん、築山殿は岡崎にいた。

歳月が経《た》った。

武田信玄の死が、京をおさえている織田信長の荷をかるくしたことはすでにのべた。信長にとって日本じゅうのほとんどの地方勢力が敵であったにせよ、当面の強敵は大坂の石山本願寺だけになった。あと、中国と四国の征服が、とりあえずの課題としてのこっている。

天正四年、かれの印形《いんぎょう》でいう「天下布武」の第一期の事業がおわりにちかづいたという事態を背景にして、かれは岐阜城から近江《おうみ》の湖東の安土《あづち》城に根拠地をうつした。

これより前、信長はその娘徳姫を家康の長男信康に嫁《か》せしめた。織田・徳川の両家はこれで姻戚《いんせき》になり、その紐帯《ちゅうたい》はいよいよつよくなったが、かといって家康がもっている国は、本国の三河と遠州だけしかない。日に日に巨大になってゆく織田勢力にひきかえて、徳川氏は同盟国というにはあまりにも小さい。

「三河どのは、大切なるお人」

と、信長はつねづね言っていたが、相変らず家康とその兵力を便利づかいするばかりで、べつに大切にしている様子もない。が、家康はひたすらに尽した。考えてみると桶狭間のあとの織田家との同盟締結のころならまだしも、いまとなれば離れようにも裏切ろうにも相手の織田勢力が強大すぎて、家康としてはただ犬のような忠実さでついてゆくしかない。

そこへ、徳姫が岡崎城にきている。徳姫の御殿が城内にあらたに設けられていた。

「尾張《おわり》衆のはなばなしさよ」

と、三河の者たちは、徳姫をとりまく侍女団の衣装や装身具の美々しさに目をみはるおもいがしていた。元来、尾張織田家というのは派手で知られた家風であるうえに、徳姫は輿入《こしい》れにあたって一万石の化粧料をもってきた。このため侍女の衣装ですら、

「堺《さかい》から荷駄運びの錦《にしき》の揃《そろ》え」

というはなやかさである。

思いあわせてみると、徳川信康を城主とするこの三河岡崎城ほど、婦人の風景として複雑な世界はない。

まず、築山殿の駿河勢がいる。駿河は室町幕府のはじめのころから守護大名の今川氏が公卿《くげ》化していたために、気のきいた侍はみな連歌の心得などがあり、婦人の行粧《こうしよう》

も京風の渋さがある。築山殿とその侍女たちにもその色合いがあったが、なにぶん郷国も実家もほろんでいるために、道具なども剝《は》げ、衣装は粗末になり、もとが渋いためにかえってしおたれてみえた。築山殿には、化粧料の土地などは一段もなかった。家康がそれを見てやるべきであったが、家康という人物は、妻妾《さいしょう》に金をつかうという点では、極端に吝《しわ》かった。かれは晩年、「大御所」といわれて駿府に住むようになっても、その側室たちは申次《もうしつぎ》の賄賂《わいろ》をとったり、大名たちに高利に金を貸したりして老後の蓄財をしていた。秀吉がその側室淀殿《よどどの》のために淀城をつくりなおしてあたえたということからみれば、天地のちがいがあった。

築山殿の不満のひとつは、ここにもある。

——われらを乞食《ほいと》のような暮しに追いこめるのか。

と、築山殿はいった。

岡崎城にいる彼女は、かつては駿河の京風を誇りにして三河者を見くだしていたが、尾張から若嫁がくるにおよんで逆転し、尾張衆のきらびやかさからみれば駿河衆は彼女のいうとおり乞食《ほいと》のようにみすぼらしい。

「三河者が、そのように言うて嗤《わろ》うているのではあるまいか」

と、築山殿はおもった。

もっとも、築山殿など駿河衆から、徳姫の尾張衆をみると、

「まるであきんどのような」

という、悪口の言いようがある。尾張衆の華美は、信長が茶ノ湯という、堺の金力を背景にした町人文化に凝っているだけに、徳姫らの衣装もその影響によって奇抜で金々《きんきん》したものであり、その点、駿河の公卿風の感覚とはあわない。

徳姫のほうから侍女が使いにきたときなども、築山殿はその衣装を指し、

「それは何え」

と、露骨に軽蔑《けいべつ》してやることがある。

息子の信康にも、それをいった。

「そなたは、おわすれになりましたか、駿河うまれの駿河そだちであることを。——」

と、何度もいうのである。なるほど徳川信康は、父の家康が駿府の人質であったころにうまれ、そこで幼童期を送った。

「だから、尾張風などに染まらぬように」

と、築山殿はいった。ふつうなら、

——そなたは三河人である。三河人の質朴さをわすれてはならない。

とでもいうべきところであった。彼女の脳裏には、三河というものは非文化地帯という印象でしかない。

彼女にとって憎むべきは、尾張であった。であるのに信康の衣装にせよ甲冑《かっちゅう》にせよ、物好みはすべて尾張風になってしまっていた。ついでながら尾張衆の具足（甲冑）の縅《おどし》の色や金具の華やかさは天下に有名で、かつて織田勢が越前へ攻めこんだときも、敵の越前朝倉勢が、

「天兵《てんぺい》が舞いおりたような」

と、おどろいたほどであった。若い信康にすれば、古風な駿河風の甲冑や、武骨で質実な三河風の甲冑より、尾張ぶりの当世風な華やかさをこのむのはむりもなかった。

信康は、

「三郎さま」

と、三河衆からよばれている。

「三郎さまはまるで尾張衆のような」

と、その傾《かぶ》いた（当世風にしゃれこんだ）物好みを痛烈に批判する者もあれば、また一方、かれが戦で物狂いするたくましさをみて、いかにも三河の若大将らしいと頼もしがるむきもある。

「昼夜ともに武辺の御雑談ばかりなり」

と、信康びいきの大久保彦左衛門などは、その著『三河物語』で書いている。ただし彦左衛門のこの信康ぼめは、多少の臭味がある。かれの『三河物語』は、他の譜代衆への誹謗のために書かれたという、そういう目的意識の明確なもので、この信康が、やがては老臣の酒井忠次の冷淡さによって死のわなにおとされることになるのだが、彦左衛門にすれば、「三河者三河者といってもいかがわしい連中もずいぶんいたのだ。そういう者やその子孫がいまは大名になって時めいている」ということを読む者にさとらせたいために、

「これほどの殿は、まだ出来《いでき》がたし」

とまで、信康をほめるのかもしれない。

信康は、強悍《きようかん》な性格である。

三河人が将の資質としてとくによろこぶところの優しさというものが、信康には欠けていた。たとえば家康でさえ譜代の老臣に対しては遠慮するところがあるのに、信康は容赦をせず、かれらを平気で衆の前で面罵《めんば》したりし、

――この殿ではゆくすえわが身はどうなるか。

というひそかな疑惧《ぎぐ》をかれらにいだかせるようなところがあった。このため、一面

の評判は凶暴というところであったが、しかし暗愚ではない。戦場での勇敢さはきわだったものであり、さらには駆引もでき、戦機を見る目も十分にあった。

ついでながらこの時期は、すでに天正三年の長篠《ながしの》の戦いはおわっている。わざわざ説明するまでもなく信玄の相続者である武田勝頼《かつより》が武田家の勢威を賭《か》けて、信長・家康の同盟軍と長篠で戦った大会戦で、この戦いは信長が工夫した小銃陣の一斉射撃によって勝頼がやぶれた。やぶれて甲州へしりぞいた。しかし信長はなおも武田のいきおいに用心して追撃せず、両者の関係はこの時期もなおにらみあいのかたちでつづいている。

この長篠の大会戦の前に、家康は駿河の岡部あたりで勝頼の大軍と遭遇した。このとき信長の大軍はまだ来着せず、家康は孤軍であった。このため決戦を避け、退却しようとし、げんに西にむかって退却した。

退却戦ほどむずかしいものはない。敵が追撃してくる。それを防ぎつつ整々と退却せねばならないが、この場合、主力の退却を可能にさせるのが、殿軍《しんがり》(後衛)というものであった。殿軍は犠牲が多く、その大将の戦死率も高い。この戦場で、信康はまだ十六歳であった。

「わたしが殿軍をつかまつる」

と、信康がみずからこの困難を買って出たのは、国主の総領息子としては類例がないほどにみごとであった。かれの強悍が、単に平時の強がりではないことを示している。しかも相手は、天下の武田勢である。殿戦《でんせん》の損害が大きいであろうし、しかも三河の若殿がその指揮官になったとなれば、武田勢はあらそってその首をねらうにちがいなかった。

が、信康はみごとにやってのけた。殿戦というのは、足軽にいたるまで死にぐるいの勇気をふるい立たさねばとてもできるものではない。本軍とは逆走して敵にむかい、敵を撃退し、そのすきに退却し、さらにひっかえして敵と戦い、潰乱《かいらん》させ、また退却する。

「卑怯《ひきよう》者は、わが目をのがれられまいぞ」

と、信康は味方を叱咤《しった》した。味方は、信康にみられているということで、勇奮し、雑兵《ぞうひよう》にいたるまで返り血をあびてすさまじく戦った。

「あのときの信康のあの勢いというものは、類がない。たとえ勝頼が十万の兵をもって追撃してきても、とてもかなわなかったろう」

と、家康は晩年にいたるまでこのときのことを語り、信康のありし日を追憶した。

なるほど、こういう信康は、彦左衛門のいうようにひょっとすると舅《しゅうと》の信長に似たふうな、「またと出来がたき」器《うつわ》であったかもしれない。

信長はむろん、この婿《むこ》のこの評判をきいている。隣国の英雄は自国にとっての災禍《わざわい》であるということが、疑う余地もなく時代の公理になっている。信長には、愉快なことではなかった。かれ自身が、自分の舅斎藤道三《どうさん》の美濃《みの》を、道三の死後うばってしまった経験をもっている。道三は、まだ弱年のころの信長を見、ひと目みてひどく不快になり、あとで家臣にいったという。「わしの凡庸の息子どもは、将来、あの婿の門に馬をつなぐことになるだろう」といったというが、信康が英質をあらわすにつれて、信長はそのむかし舅道三が自分についていったということを、こんどはわが身のうえで味わわねばならなかった。織田家の息子たちは、父の信長に似た者はひとりもおらず、すべて平均よりはるかにおちる凡質の者どもであった。おそらく、子の代になったとき、織田家と徳川家の位置は逆転するにちがいない。

「徳川どのは、よい子をもたれた」

と、信長は長篠の戦いのあと、一度だけ述懐したというが、その前後、ついにかれは、かれの婿でありながら信康について語ったことがない。

信長は、さらに考えたであろう。信康が英質であることは、まだしも我慢することができる。が、信康が、他人に同情のない性格をもっているとすれば、のちのち織田家の公達《きんだち》たちはどのようなはめになるか。

さて、築山殿のことである。

家康が、その居城を三河岡崎城から遠州浜松城にうつしたのは、永禄《えいろく》十年で、姉川の戦いより三年前だから、いまは歳月もふるくなっている。その浜松移転のとき、家康は築山殿を岡崎に残したから、築山殿の空閨の歴史はながい。その間《かん》、亭主の家康は遠州を鎮撫《ちんぶ》しつつ信長とともに近江に兵を出して姉川で朝倉・浅井勢と戦ってこれをやぶり、さらに遠州の遠境で武田信玄の兵と連年たたかい、幸いにも信玄は病中で死ぬ。多忙であった。しかし妻の築山殿にとっては、亭主の多忙などは知ったことではない。

家康は天正四年、めずらしく浜松から岡崎へきた。岡崎へきたのは、信康と徳姫のあいだに女児がうまれたため、その祝意をのべるためと、その初孫を見にきたのである。家康はこのとし祖父になった。しかし齢《とし》はまだ三十四でしかない。

築山殿にもひさしぶりで会った。

のである。

「それほど浜松がよろしゅうございますか」

と、これが築山殿のまず叫んだことばであった。彼女はすでに家康を憎悪《ぞうお》していた。家康は、自分をすてた。若い女に置きかえた。浜松には何人もの側室がいて、家康の身辺の世話をしたり、夜の伽《とぎ》をしたりしていることを、築山殿はくわしく知っているのである。

「私が浜松にいるのは、酔狂でそうしているのではない。信玄どのが亡《な》くなられたとはいえ勝頼どのは存外な器量人で、かたときも油断しがたい。武田をふせぐのは浜松のほかにどこがあろう」

「ほほほ、らちもない」

と、築山殿は裂くような声で笑った。えらそうに武田がどう、浜松がどう、と大人びてほざくことよ、というのが、築山殿の感想であった。

彼女にすれば家康など、それほどの男とはおもえない。三河一揆《いっき》のときには一揆に追いたてられて逃げまわっていたのを知っているし、三方ヶ原の合戦のときには信玄に一撃されて泣きっ面《つら》を掻《か》いて城に逃げこんだのも知っている。なにやら亭主は負けてばかりいる。その家康が、一人前づらして武田じゃ浜松じゃと申すのが笑止である、要するに、自分を嫌い、浜松の側女《そばめ》にひかれていることの口実ではないか。

「それほどあなたさまは、甲斐の四郎（武田勝頼）どのがおそろしゅうございますか」

「それは、怖い」

家康はほらやけれんで自分の寸法をごまかすことをしない男で、このあたりの正直さが、かれの唯一《ゆいいつ》の愛嬌《あいきよう》であった。そのうえ、この場合は自分の浜松常駐を理由づけねばならない。浜松と申すは武田に対する防ぎ城で、いわば常時戦場の地であり、そのように殺気立った城へ妻子を置きたくないからだ、ということを築山殿にわからせなければならない。

「今夜は、岡崎城に泊られましょうな？」

と、築山殿は急転、話題を変えた。彼女にとって武田や織田などというより、家康が自分の閨《ねや》で寝てくれればいいのである。

家康も、まさか城外の寺に泊ったりするわけにはいくまい。岡崎城は長男が城主であるとはいえ、三河松平家の聖地であり、自分の生家であり、同時に妻や子、孫のいる唯一の家庭なのである。

「では、わたくしの臥床《ふしど》でお寝《やす》みなされまするな？」

と、築山殿は露骨であった。ついでながら彼女の所業は、色情狂とみるほかないようなふしぶしが多分にあり、家康にとってこの妻のこの態度は意外でもなんでもない。

「そのようにする」

と、家康は、自分より十歳うえの四十四歳の妻の顔をあらためてみた。老婆《ろうば》であった。築山殿のこの当時の日本の婦人は一般に皮膚の老化が早く、四十を越えれば、今日《こんにち》の六十ぐらいの老いを呈し、二十前後の女とくらべると別人種のようであった。

——まるで、鬼相だ。

と、家康はひそかにおもった。

しかしやむをえないであろう。家康は、そのことを覚悟した。この男も、苦労人であった。

そのあと、嫡子《ちゃくし》信康夫妻が、本丸御殿に家康を招じて、酒宴をひらいた。築山殿もよばれていたのだが、いいえ私は頭が痛みます、といって築山御殿にひきこもり出て来なかった。これは彼女にとっての常習のことで、頭痛でもなんでもなく、嫁の徳姫と同席するのが、なによりもきらいだったのである。

しかし家康は、別人のように愉快げであった。かれは徳姫に対してつねに微笑をうかべて応接し、自分をとびきりの好人物であるかのようにふるまった。徳姫の背後に織田家がある。さらに徳姫のまわりの侍女たちは、織田家の諜者《ちょうじゃ》といってよかった。

「これはこれは」

と、家康は軽薄なほどに躁《はしや》いだ。

「おやつれかと思うたのに、なんの、以前にも増し、一段も二段もお美しゅうなられましたな」

婦人のよろこぶようなことをいった。この時代の家康のような田舎武将でも、婦人に対する世辞は、その容貌《ようぼう》をほめる以外にないということを心得ていた。信長のような、人を頭からこなしつける男でさえ、その家来にすぎない秀吉の妻女に手紙を送るについて、その手紙のなかで彼女の女ぶりがちかごろいちだんとあがったことをほめてやっているのである。

しかし徳姫の美しさは、家康のことばどおりであった。織田家は美人筋で、この徳姫も例外ではない。ただ人の愛を得るような気分のもちぬしではなかった。細おもてで、鼻筋がするどく通り、唇がうすい。かといって冷たいというほどの個性もなく、個性といえば、それは稀薄《きはく》なほうかもしれない。お関という乳母がついていた。この乳母が、いまでも徳姫の膳《ぜん》の上の魚の肉をむしったりして、身のまわりの世話をしている。徳姫もこのお関にもたれきりで、こういう座にあっても、しきりにお関に話しかけ、私語をしつづけている。お関は、磯野局《いそののつぼね》とよばれていた。徳姫の侍女筆頭であり、家康も、

（この磯野にだけは、手厚くしておかねば）

とつねにおもい、浜松から徳姫に土地の物産を贈るときはかならず磯野局にも贈っている。

家康は、酒量はさほどではない。

自然、大酔することはなかったが、この座では大いに盃《さかずき》をかさね、

「いや、このように気分よく酒をのんだことは絶えてない。ひさかたぶりで信康どのや徳姫どのに会《お》うて、身も心も弛《ゆ》りてしもうたのであろう」

と、この口重《くちおも》な男にすれば、精一杯の浮わついたことを言い、徳姫に笑みかけた。

しかし家康にとって酔いきれぬ一点が、この部屋の一隅に冷えびえと凍りついていることを、終始意識せざるをえない。

妹尾《せのお》という老女である。

――妹尾が、なぜいるのか。

ということが、はじめ家康にもわからなかった。信康にも徳姫にもわからなかったが、やがてたれの胸にも一つの推察がうかんだ。

妹尾は、築山殿の乳母である。もともと駿府今川家の家臣の後家で、築山殿がうまれたときから関口家に奉公し、やがて築山殿が長じ、駿府の人質屋敷の嫁としてきた

とき、自然彼女の侍女頭になった。家康にとってのあのころ、つまり駿府でのころの家康の家庭のすべてを、この妹尾が切り盛りし、ときには家康に対してすら、今川家をかさにきて威圧をくわえた。あのころの家康は年かさもゆかなかったためにこの妹尾の存在がこわく、

——今川殿に何をどう告げ口するかもしれぬ。

とおもい、つとめてその機嫌を損じまいとした。

その妹尾が、築山殿に随《したが》ってこの岡崎城へきた。その後、城内では、当然のことながら築山殿の権勢の代理人としてひとつの勢力をもっている。

（この老女は、代人《だいにん》としてきているのだ）

と、家康はおもった。築山殿がこの席に出られなかったために、名代《みょうだい》というほどではないにせよ、酒間の周旋をすべく（べつにしてもいないが）来ているのであろう。むろんそれは名目で、彼女は築山殿の意を体して、この席のひとびとの動静に対するひそかな監視者としてきている。帰れば逐一告げ口するにちがいない。

当時、奥というものはこういうものであった。家臣に対する絶対権力をもつ家康ですら奥のこういう存在に対しては、どうすることもできない。たとえば退席を命ずるなど、とてものこと、できるものではない。

この事態を別な印象でいえば、

──駿河がそこにいる。

というような光景であった。事実、妹尾はこの岡崎徳川家における駿河勢力の名代人であり、謀主であり、さらにはまた衰えてしまった駿河の往年の威望についてかぎりない悲嘆をもつ人であり、同時にこれを裏がえしていえば尾張からきて城内に蔓《はびこ》っている新勢力に対し、すさまじい憎悪をもっている存在であった。

──きょうは徳姫どのは何を喋《しゃべ》ったか。

ということを、妹尾はこの席で監視しておらねばならない。それでこそ、姑《しゅうとめ》の代理人なのである。さらには家康に対し、

──大殿は、徳姫にどういう態度をとられたか。

ということも、よく観察しておかねばならない。不遇の妻である築山殿に対するそれがひとすじの忠義であろう。忠義者とはそういうものであった。

家康は、本丸御殿を出た。築山御殿にもどるべく夜空の下をあるきながら、疲れきっている自分を知った。

(この苦しみはどうだ)

と、自分を自分で労《いたわ》ってやりたいほどに自分があわれであった。駿河今川家の羈絆《きずな》

から脱したものの、その旧《ふる》い勢力はなおも呪力《じゆりよく》をもった怨霊《おんりよう》のように自分とこの徳川家にとり憑《つ》いている。そこへ尾張勢力が入った。旧勢力を冷淡にあつかうことに後ろめたさはあるが、新勢力の機嫌を損じては徳川家など、三日で押したおされてしまうにちがいない。かといって家康は、「一体、自分はどこにいるのだ」とはおもわない。この男は懐疑主義者でもなければ、心の繊細な戦慄《せんりつ》を愛する文学青年でもなかった。かれはこのような条件下で自分が生きてゆくことに、情熱をすらもっていたと言える。たとえばかれはうまれつき執拗《しつよう》な生物で、尾を切られても足を切られても、傷口を舐《な》め、唾液《だえき》で濡《ぬ》らしつづけてついに再生させてしまうことに情熱、というより生物的な本能といったほうがより的確なものを多量にもってうまれついていた。この点がこの一見平凡な男の、余人の窺《うかが》い知れぬ異常な生理ということができるであろう。家康がこの後なおもその複雑な条件下で生きてゆくのは、かれの才能というような枝葉の才覚芸によるものではなかった。その奥の、どろりと粘膜でおおわれた器質的なものがかれをうごかしていたというほかない。

家康は約束をまもった。築山殿の寝所に入った。

しかしわざと酔っている。四つ這《ば》いになり、蚊帳《かや》のはしに首をつっこみ、ノソノソと老牛のように物憂《ものう》げな動作で入りこんだあたりは、どこからみてもそのあたりの農夫が酔っている姿である。

「酔った」

と、つぶやき、築山殿のそばに崩れ、うつぶせになった。

築山殿は身じろぎもせず、枕《まくら》の上からそういう亭主の酔態を見つめている。彼女はすでに妹尾から宴席でのいっさいのことをきいていた。

「ホホ、そのざまは」

と、築山殿はあざ笑った。この中世末期の婦人というのは、ほぼうまれつきの器質のままで生きているのが特徴であろう。江戸中期以後のような、秩序や習慣、しつけもしくは教養によって飼い馴《な》らされた婦人の平均像からみれば、ずいぶんちがっている。たとえば築山殿のばあい、驕悍《きようかん》なうまれつきが齢とともに露骨になり、理性の機能がおとろえて、感情がたかぶってくればなにを仕出かすか、わからない。

彼女は、家康があの座で徳姫に対し、まるで家臣のような態度をとったことをいちいち挙げ、声高に責めた。

家康がだまっていると、築山殿は起きあがり、徳姫は私の敵です、とすらいった。

「これはおだやかならぬ」

家康は酔った息の下から、たまりかねてつぶやいた。姑と嫁の悪感情が、駿河と尾張の勢力あらそいのような、多分に擬似的ながらも政治的様相を帯び、それだけになにやら単に亭主の説得でなだめられるようなものではなくなっている。

「そなた、考えちがいをしていまいか」

と、家康も起きあがった。駿河今川家というのはこの地上にはもはやないのだ、あるとすればこの岡崎城内だけにある、しかしいつまでもそれでいてもらってはこまる、当家に嫁した以上はうまれついての三河びとのつもりになってもらわねば、と言い、

「徳姫のほうにも、信康を通じてそう申しきかせてある」

といったが、しかしこまったことに、築山殿にせよ徳姫にせよ、どちらにも共通しているのは三河と三河衆をばかにしきっているという点であった。家康がいかに成りきって貰わねば、といったところでどうなるものでもなく、げんにいまも築山殿は、

――それは侮辱ではありませんか。

という意味のことばを家康に投げかえしたのである。駿河の名家うまれという張りが、築山殿の日常の姿勢をささえている。こんな三河の泥くさい土育ちであってたまるか、というのである。家康は、さすがにむっとした。

「三河にも、名家はないではない」

ここでかれらのいう名家とは、室町幕府の守護大名の家のことである。いまはこの

乱世でほとんどが没落し、わずかにのこっているのは甲斐《かい》の武田家であり、最近まで残存していたものが駿河今川家であったが、三河にもそういう家がかつてあった。しかし早くにおとろえ、いまは草莽《そうもう》のなかに微禄《びろく》してしまっている。吉良《きら》家というのがそれであった。家康が天下をとってからこの名家をあわれみ、その家系の者を江戸によび、旗本にし、とくに江戸城の儀典をあつかう係りにした。

「それほど名家が好きなら、吉良どののもとに輿入《こしい》れすればよかったのだ」

と、家康は皮肉をいった。おそらく吉良どのの家ならば、その日食うのがやっとにちがいない。

翌朝、家康は城外で鷹野《たかの》をし、その足で浜松へ帰ってしまった。

この前後から、築山殿の所業はすさまじくなる。これについて、『三河後風土記《ごふどき》』という書物が執拗な筆で触れている。

この著者は家康の譜代で、信康の傅人《めのと》（養育官）である平岩親吉《ちかよし》である。ともいわれるが、京の人沢田源内という者が平岩親吉の名をかりて作ったものだともいう。内容は、家康とその家臣団の創業期のことどもを記録したもので、いかにも三河というこの国の草いきれとエネルギーを感じさせるところに魅力がある。

「滅敬《めっけい》」

という医師がいる。唐人（中国人）であった。長崎から流れてきたらしいが、中国が漢方医術の本場であるだけに、減敬は唐医ということで実力以上の評判をとっていた。それが、しばしば岡崎城の築山殿によばれるうち、両人は密通してしまったと『三河後風土記』はいうのである。

「（減敬を）常に閨《ねや》の中にとめおき給《たま》い、花鳥の色にも音にも飽かず睦《むつ》み語らせ給うさまは、古《いにしえ》の道鏡のためしにも引き出すべし」

と、土臭い文章で書いている。

この減敬は、武田家にもながくとどまっていたという経歴がある。

減敬は、武田家のことなどを築山殿に話した。築山殿も、それを聞きたがった。駿河今川家はむかしから武田家との関係がふかく、築山殿にすれば、徳川家や織田家といった出来星《できぼし》大名の家とはまるでちがったものというあたまがあり、親近感もつよい。

（いっそ、武田家と連合すれば）

と、この政略結婚で妻になった女性は、ついそういう政治的妄想《もうそう》をもった。子の信康を立てて武田・徳川同盟を成立させるのである。むろん織田は捨てる。

——おもしろいではないか。

と、彼女はこの妄想に熱中するようになり妹尾ら腹心の駿河者たちと密談しているうちに、この計画が、彼女ら数人のあいだだけでひどく現実感をもったものになってきた。

(むろん、家康は追いだすか、殺す。そのかわり武田の支族の者と再縁したい)

彼女がこう思ったことは事実であり、それをおもうと、築山殿は類のない空想力をもっていた。

(で、かんじんの信康である)

と、築山殿はおもう。信康はこのとき二十歳である。彼女は当然ながらこの信康を愛していたし、信康もこの母には満腔《まんこう》の情義をもっていたし、おろそかにしたことはない。このあたりは可憐《かれん》であった。築山殿は多分に異常人ながら、母子の関係だけは尋常であった。築山殿としてはこの密謀を遂げるためには、この信康を抱きこんでしまわねばならない。

が、信康にこの密謀をうちあければ、かれはおどろいてとめるにちがいない。築山殿としては、まず事実を積みかさね、信康のまわりにのっぴきならぬ条件をつくりあげてしまうほうがよいとおもった。

それには、まず信康と徳姫を不和にすることである。女がいい。

信康に寵姫《ちょうき》をつくらせることであった。築山殿は、その女の物色をした。女は三河人であってはこの密謀を洩《も》らすおそれがある。

甲州女がのぞましかった。たまたま武田家の重臣（日向大和守《ひゅうがやまとのかみ》昌時であるという）を父とする妾腹《しょうふく》の娘が、事情あって岡崎城下にながれてきていることを知り、人をやって容姿を検分させたところ、築山殿にとってねがってもない美貌《びぼう》であった。

築山殿はその母親に金を出し、その甲州うまれの娘を自分の侍女にした。

信康には、築山殿自身が口説《くど》いた。

「この娘はどうか」

という露骨さである。大名たる者はまず第一に嗣子《しし》をつくることが大切である、徳姫どのはなるほど子をうんだが女児であった、あれではどうやら女腹かもしれず、ゆくすえが案じられる、三郎（信康）どのはぜひともこの娘を幸《こう》して男児を生ませ候《そうら》え、とすすめた。

信康は、多淫《たいん》であった。べつだんの抵抗もなく母親のすすめをうけ入れ、この娘を愛した。その後、熱中した。女は、母親の住む築山御殿に置いている。信康は、毎夜築山御殿で夜をすごした。徳姫には、

――母御前にお会いするためだ。

といっておいたが、せまい城内ではうわさがきこえぬはずがない。すぐ徳姫の耳に

入った。

「ひともあろうに姑どのがその女をすすめられた。しかも武田に縁故《ゆかり》の女である」

という内実が、尾張からきた女中たちの手で知りたしかめられた。もっともそれ以上の秘謀まではこの段階では知られていない。ともあれ、岡崎城内は、徳姫を中心という尾張系の女中たちと、築山御殿にいる駿河系の女中たちのあいだに、仇敵《きゅうてき》以上の険悪な空気がかもされた。奥に奉仕する三河武士たちは、この両派の相剋《そうこく》をみて、手をつかねているほかなかった。

この空気のなかで、焦《あせ》ったのは実家の背景のうすい築山殿のほうであった。さらに滅敬との情事が、城内に知れわたっていることも、彼女をあせらせた。焦りが、彼女を行動へ飛躍させた。ともかくも密謀を拙速ながら実現しなければならない。

彼女は、滅敬をせきたて、これを密使として甲斐に送った。彼女が武田勝頼に示した内容というのは、すでに正気の沙汰《さた》ではない。

「信長と家康は、私の手で殺しましょう」

というものであった。家康が、彼女の姦通《かんつう》を理由に自分を殺すかもしれない。殺されるよりもさきに殺そうとおもった。

「信康に対しては、徳川家の封土をそのまま安堵《あんど》してやってほしい」

むろん、信康自身の知らぬことであった。

さらに築山殿は、最後に女らしい一項をつけくわえることをわすれなかった。これが、彼女にとってもっとも重要なことであったかもしれない。

「おねがいがあります。武田被官のうちで、しかるべき者をおえらびくだされて、私をその妻にさせてくださるように」

というのであった。ヒステリーであろう。しかしそれが昂《こう》じてこういう壮大な計略まで幻想し、しかも幻想だけでなく実際にその計画を行動にうつした女性というのは、おそらく史上この築山殿しかいない。

武田勝頼は、当然よろこんだ。おりかえし返事を岡崎へ送った。むろん勝頼は築山殿の申し出をすべて可とし、とくに最後の一項については具体的に示した。

「当家に、小山田兵衛《ひょうえ》という、妻をなくした者がおります。それの妻になし申すべし」

と、返答した。小山田家といえば甲斐の名族で、むろん、築山殿も知っている。

——家康、いまにみよ。

と、こういう器質の女性は、こういう場合、戦慄《せんりつ》するような痛快さをおぼえたにちがいない。

遠州二股《ふたまた》の話

事件は、おこった。

築山《つきやま》殿とその侍女団は、これほどの大事をくわだてていながら、諸事、無用心であった。

――たれも気づくまい。

とおもって密謀をすすめているうちに、おなじ岡崎城内に住む若嫁の徳姫の侍女団の側《がわ》に知れてしまったのである。

どのようにして洩《も》れたのか、よくわからない。一ツ城のなかに住む姑《しゅうとめ》と嫁のふたつの侍女団が、たがいに、

駿河女《するがめ》

尾張女《おわりめ》

などとののしりあい、白眼で対抗していたものの、しかし間諜《かんちょう》まで入れての抗争とはちょっとおもえない。この二つの侍女団のなかに、共通して地元の三河女《みかわめ》が入って

いる。三河女は水仕事とか走りつかいの程度につかわれていた。築山殿の侍女団の下にいる三河女のたれかが、この大事を耳にしたのであろう。

——とんでもない。

と、仰天したにちがいない。奥方が、織田と徳川の敵である武田勝頼《かつより》に内通してしまっているという。しかも信長と家康を殺してしまおうというのである。三河女にとっては、この密謀が万一成功すれば三河の滅亡になるということは百もわかっている。おそらくこの三河女は、徳姫側ではたらいている三河女に、

——うそかまことかわからぬが、かようにおそろしいことが。

と、顔を真蒼《まつさお》にして話したに相違ない。

それが、徳姫の耳にきこえた。

「まさか」

と、徳姫がふつうの状態におかれている女性なら、事のあまりの奇態さにいったんはうたがうべきであったろうが、

——あのお姑《かあ》さまならやりかねぬ。

と、勢いこんでおもった。若妻としての彼女自体がすでに尋常の状態にはいなかった。彼女は、この時期空閨を強いられていた。夫の信康《のぶやす》は、母親があてがった甲州女

を溺愛《できあい》し、夜はそこですごしていた。徳姫は不幸であった。しかも彼女の不幸はたった一人の人物でつくられていた。築山殿である。築山殿が、精力的に徳姫の不幸を創造している。徳姫にとって、築山殿というのは人間のかたちをした魔物であった。魔物なら、すでに人間を超越している以上、どんな悪事をつくさぬともかぎらない。

「ありうべきこと」

と、さらにしらべているうち、築山殿が甲州に脱走する用意をしていること、その秘略については息子の信康をも抱き入れていること、要するに築山殿と信康は織田家に反逆しようとしていることなどを知った。

——まさか、信康どのが。

とは、おもわなかった。すでに信康は、母親の御殿ですごし、その御殿でかこっている甲州女を日夜寵《ちよう》している。

徳姫がその甲州女の身元をしらべさせるとなんと、武田家の重臣で、他国にまで名の知られた日向大和守《ひゆうがやまとのかみ》昌時という者の娘であることがわかった。

「もはや、信康どののぐるみ、甲州への内通はまぎれもなし」

ということになったのもむりはなかった。憎悪《ぞうお》は、人間の想像力を異常に増幅させるものであった。なるほどこの甲州女は日向大和守昌時を父親としていることはまぎれもない。しかし事情があった。女は日向家で、不幸な出生をした。昌時が女奉公人に通じ、この娘をうませた。が、正室が嫉妬《しっと》してさんざんに迫害したため土地にも住めなくなり、三河に流れてきて、岡崎城下の陋巷《ろうこう》にすんでいたのである。それだけであった。それだけのことが、この異常な事態のもとでは、

——それですべてが読めた。

ということになった。

「その甲州侍日向大和守の娘が、大胆にも武田勝頼の密命をうけ調略の手先になり、信康どのや築山殿を甲州へ誘《いざな》うべく手びき役をつとめている」

それで、つじつまがあう。

古来、疑獄や政治的事件というものは、そのほとんどが、多分に人間の想像力の産物であった。事実は想像を増幅するためにのみ必要であり、その想像力に国家や集団の憎悪がくわわるとき、白光を発するようにしてかがやく。

築山殿の甲州内通は、根をあらってしまえば単にヒステリー症による妄想《もうそう》であり、その妄想に多少の飛躍的行動（たとえば武田勝頼に手紙を書くような）がともなった程度にすぎない。そのことは、この事件の発覚後に事件のあらましを知った家康がいちばんよく知っていた。築山殿に対して、この地上でただひとり同情をしたのは家康であ

った。

「あのひとはああなのだ。それだけのことなのだ」

と、事件後、家康はいった。まわりがさわぎたてずにおきさえすれば、築山殿の密謀はそのまま消し炭の火のようにきえたかもしれず、たとえ彼女が甲州へ脱したところで、うっちゃっておけばそれでよかった。彼女が信康を誘いだして母子ともに逃げたとなればそれでやっと政治問題になりうるが、しかし信康は築山殿の密謀をはじめから知らず、聞かされておらず、よし聞かされようとも彼が母親と一緒に脱走するようなことはありえない。むしろ説諭し、説諭してきかなければ家康に相談して領内の寺などに入れて十分の監視をおこない、精神の鎮静するのを待つであろう。信康という若者は、気ままなところはあったがそれくらいの処置はてきぱきとやれる男であった。

この一件が、重大な政治問題になったのは徳姫が信康に相談しなかったことである。すでに信康が徳姫の御殿にわたる習慣をうしなっている以上、徳姫としては言おうにも言いようがないということもあったが、それ以上に徳姫とそれをとりまく侍女どもは、すでに信康に対して心を閉ざしてしまっていた。ただし、敵としてみたということは言いきれず、

——母君の築山殿の魔性にとりこめられてしまっている。

と、みた。同類ではあったが、信康も同時に築山殿の被害者で、築山殿とあの甲州女の魔性さえうち砕けば信康はその呪縛《じゅばく》からとき放たれ、徳姫のもとにかえってくる、という気持があった。

——父に言い縋《すが》って。

と、徳姫はおもった。築山殿と甲州女のあの魔性に大鉄槌《てっつい》をくわえてくれるのは父の信長を措《お》いてない。徳姫の目からみても父の信長はたのもしい人であったが、日本じゅうのたれからみても信長は最強の人物であった。かれはふしぎな男で、独裁者としてのかれの物指しをつねにかざし、その物指しからみてまがりくねっている精神が世の中に存在することをいっさいゆるさず、政治に野望をもつ宗教の集団をいちいちつぶし、その徒を殺した。叡山《えいざん》では三千の僧を殺し、伊勢《いせ》長島では一万人の一向宗徒を殺した。世の中に信長ほどおそるべき検断者はなかった。それが徳姫の父であった。この父ならば徳姫の訴えに対し、十分な処置をとってくれるにちがいなかった。

このころ、家康はこの事態を知らない。かれは浜松城にいる。

その浜松から、この時期、近江安土《おうみあづち》城にいる信長のもとに使いをした者がある。家康の家臣団のなかでの筆頭である酒井忠次《ただつぐ》であった。

「織田どのの手前を、ぜひよろしゅうに」

と、家康はこの老臣を派遣するにあたってわざわざ浜松城の城門のそとまで出、見送った。織田家への使いという役目柄を尊重したからでもあったが、ひとつにはこの酒井忠次という重臣には、家臣ながらもそれだけの手厚い礼を家康はとっていた。ついでながら三河武士団は、尾張のような先進地帯とはちがい、なお中世の形態を色濃くのこしていた。中世武士団の棟梁《とうりょう》（たとえば三河のばあいでは家康）というのは、豪族同盟の盟主であった。その地域の豪族やら支族やらが団結し、力ある者、血筋よき者をその棟梁として押したてて旗頭《はたがしら》とする。それによって成立している。たとえば尾張のようなところはまるでちがっている。織田信長はその家臣団にとって盟主ではなく、完全無欠な「主人」であった。信長からみればその五人の重臣である羽柴《はしば》秀吉、柴田勝家、明智《あけち》光秀《みつひで》、丹羽《にわ》長秀《ながひで》、滝川一益《かずます》らは、信長自身が土中から掘りおこして人間にし、身をかざらせ、信長自身が自分の兵を貸しあたえて将にした連中で、あくまでも使用人であった。ところが、まだ中世形態をとっている徳川家臣団にあっては、すこし事情がちがうのである。

たとえば酒井家というのは家康の松平家（徳川家）発祥のころは碧海《あおみ》郡坂井の土豪で、松平家よりは家ノ子郎党なども多く、やや勢力は上だったらしい。この松平・酒井の両家が力をあわせて他の豪族から侵されることをふせぎ、また近隣を斬《き》りとりもして、しだいに松平勢力が大きくなった。その他、大久保《おおくぼ》党、本多党、石川党などみな零細ながらもふるくからの三河における族党的な武装集団であった。そういう族党グループの上に家康は乗っているわけであり、この点、尾張の織田信長の家臣団とはくりかえしていうようだが、主従関係の質がややちがっていた。信長のばあいは、その家来は純然たる使用人であり、極端にいえば信長がかれらを叩《たた》こうが殺そうが、かれらにあっては苦情の音《ね》を出しようがない。いわば信長に買いきられた連中であった。この形態が近代的であるとすれば、こういう組織をもっていたのは信長しかなく、天下における織田軍団の特殊性がそこにあった。

ところが、家康の徳川家のばあいは、家康は盟主としてかれに属する族党群の族長どもに対して大きな遠慮がある。この「遠慮」の感覚が、いわば内部政治というものであった。家康はその麾《き》下《か》の三河武士団をよく統御していたが、しかしかといって信長のようにその重臣をまるで奴隷《どれい》のように追いつかうという立場ではなかったために、かれらにこまかく心くばりし、ときにはかれらの歓心を得ようとするような言動もし、とくにかれらの自尊心を傷つけることのないようにこまかい配慮をつねにはたらかせていた。

そのなかでも酒井党の族長である酒井忠次に対しては、

「酒井の家は格別であるから」

と、つねにいっていた。そのあたりが家康のつらさであるかもしれなかったが、しかし反面、家康という人間のなかに、信長に欠けた繊細な対人感覚や微妙な政治性を育てさせたのは、かれの家のこういう組織によるものかもしれない。

ともあれ、酒井忠次は出発した。

かれは家康よりも十五歳上であり、その妻の碓井《うすい》は家康の叔母（家康の父広忠の妹）であるところから、家康に対してもつねづね会釈《えしやく》はかるい。

丈《たけ》は五尺そこそこだが、すわると威があるのは、ひとつには胴太で、顔が大きく、目鼻の道具だてもとびきり大きいせいでもあった。戦場の采配《さいはい》もけっして下手ではなく、愛用の赤糸縅《おどし》の具足を着て陣頭に立つと、陣営の空気はおのずと凛然《りんぜん》とした。しかし忠次にとってなによりも得意なのは、外交であった。家康が越後の上杉謙信との外交関係をむすんだときも、当面の実務担当者はこの酒井忠次であった。（余談ながら、酒井家は二流あり、この忠次の左衛門尉《さえもんのじよう》家と雅楽頭《うたのかみ》家がそれである。徳川期、両流とも譜代大名

のなかの上席を占めた。忠次の家はのちの出羽《でわ》鶴岡《つるおか》十七万石の酒井家であり、他に分家がいくつかある）

忠次のこの旅は天正七年の七月のことで、暑いさかりであった。よく飾った馬を一頭曳《ひ》いている。四脚に力のみなぎり、みるからにたけだけしい駿馬《しゅんめ》で、沿道の者がみな声をあげた。この馬は東国のばくろうが浜松に売りにきたもので、家康が買いとり、「これほどの馬、自分のような分際にはもったいない、天下人《てんかびと》の厩《うまや》につながるべきものだ」

本気にそう言い、忠次をつかいにして安土城の信長に献ずべくむかわせたのである。信長は武将であるという実務上の必要以上に馬というものを愛し、天下の駿馬をその厩舎《きゅうしゃ》にあつめていた。いまその気に入りの馬が十二頭あった。それを愛するあまり、絵師に命じて十二頭の馬をあしらった屛風絵《びょうぶえ》を描かせたくらいであったから、家康のこの献馬をよろこぶにちがいなかった。忠次の旅は、そういう旅である。

忠次は、遊び下手な三河者のなかでは、遊女などをあげて歌舞に興ずるのがすきで、泊りをかさねるごとに土地の遊女をよんだ。

「歌えや、舞えや」

と、遊女を気ぜわしくせきたてたが、しかしそう要求するわりには吝嗇《りんしょく》で、財布を容易にゆるめない。興が乗ってくると、かれも立ちあがって手足を舞わせた。舞うといっても幸若舞《こうわか》などを舞うわけではなく、三河の百姓がよくやるえびすくいの踊りをするのである。この踊りは、のちに家康が小田原の北条氏と同盟をむすんだとき（天正十四年）その席に忠次も陪席し、北条氏政の前で奇声をあげながらおどってみせたこともある。要するに忠次は、他の土地の者からみればあくのつよい相当な田舎漢であった。

道中晴天がつづいたが、近江路に入ると天候がくずれ、忠次が登城した日は煙のような雨気が湖東の山野をこめていた。

織田家では、徳川家の中次《もうしつぎ》は丹羽長秀ということになっている。万事、長秀がうまくやってくれた。

拝謁《はいえつ》は、書院でおこなわれた。目録が三方《さんぼう》にのせられて信長の前にすすめられ、同時に庭さきに馬がひかれてきている。

「やあ、みごとだな」

と、信長はよろこんでくれた。

そのあと、信長は茶でもふるまおうか、といったが、忠次は当節、貴顕や富商のあいだで流行している茶の作法というものを知らず、いっそ茶より酒のほうを食べとう

ございます、といった。信長はその返答がよほど気に入ったのか、高く笑い、

「それが三河者だ」

と、忠次の質朴さをほめたが、忠次はべつに質朴というほどの男ではない。質朴はその挙措で、なかみはなかなかにしたたかであった。茶のかわりに酒をねだったのも、侍のそういう土くささを信長が好むということを知りぬいたうえでのことである。

信長は小姓をよび、忠次を茶室に案内させた。そこで酒を用意させた。

信長がわざわざ茶室をえらんだのは、忠次に茶や酒をふるまってやるのが目的ではなく、この空間が密談にむいているからであった。ひととおりの酒の支度ができると、忠次がおどろいたことに、信長は児小姓《こごしょう》にいたるまで、

——さがっていよ。

と、命じたことである。やっと数人のひざが入れられるだけのこのせまい空間のなかで忠次は信長とふたりきりになった。

信長は、酒はあまりたしなまない。忠次にとってつぎの驚きは、信長がみずから酒器をとりあげて忠次に酌をしてくれたことであった。世間では魔王のようにおそれられていながら、信長のやることは、つねにふつうの寸法とはちがっていた。忠次はさすがに恐縮し、盃《さかずき》をひたいの上までささげて、信長の手もとから洩《も》れる酒をうけた。

うけてから、

「もったいのうござりまする。右大臣さまのお手ずからお酌を頂戴《ちょうだい》するとは左衛門尉(忠次の官名)、古今になき果報者でござりまする」

といったが、肚《はら》のなかで忠次はそれほどにはおもっていなかった。忠次は徳川家のオトナ(家老)である。同盟者である信長は、家康をもてなす以上の心づかいで家康のオトナの心を攬《と》っておかねばならない。こういう関係のばあい諸国のどの例においてもそうであった。オトナが心変りして主君の心まで変らせる例はありすぎるほどにある。忠次はそういう意味で、信長からこれほどの手厚いもてなしをうけてもいいとおもっているし、その点、盃を頂戴しながらもずぶとく肚がすわっている。

たしかに忠次のおもうとおりであった。そういう意味で信長は、この徳川家の譜代筆頭の酒井左衛門尉忠次という五十男に接していたが、しかし信長の側からいえばきょうのこの場合、その意味が濃くなっている。

濃かった。なぜならばいまから信長が酒井忠次に言おうとしていることは、ひとたび言ってしまえば織田・徳川の同盟がくずれるかもしれないことであり、家康が自分にそむくかもしれず、あるいは十中八九そうであった。いや、家康はおそらく信長と断交するであろう。その結果、織田軍団は尾張境《ざかい》をこえて三河に乱入し、岡崎をおとし、吉田《よしだ》（豊橋《とよはし》）をおとし、浜松をおとし、徳川氏を攻めほろぼさねばならぬことになるかもしれない。

すでに、織田家にも反逆者が出ているのである。荒木村重《むらしげ》がそうであった。村重、摂津守《せっつのかみ》、もとはといえば摂津武庫《むこ》郡あたりで漂うていた牢人《ろうにん》の子であったが、おのれの器量ひとつでのしあがり、摂津茨木《いばらき》城やら同尼崎城やらの城主になるうち、織田勢力と接触し、信長にひきたてられ、またたくまに織田家の重臣になり、柴田、丹羽、羽柴、滝川、明智に肩をならべるほどのいきおいになった。織田家に属してわずか五六年のあいだのことであり、

「荒木の出世は織田家なればこそ」

という評判が世間に高かった。その荒木が小さな不始末をした。荒木の家来の者が、織田家の敵である石山本願寺にこっそり兵糧《ひょうろう》を売っているという事実があきらかになり、疑惑はしだいにひろがって、荒木村重自身が敵の本願寺に内通しているらしいという声までささやかれるにいたった。それが信長の耳に入った。信長は、容易に信じなかった。

が、荒木村重のほうが、すでにその疑惑を信長にもたれてしまった以上、信長の日ごろのなしざま、その性質から推《お》して自分をそのままにはすますまいと思い、ついに

意を決し、摂津伊丹城にこもり、信長に反旗をひるがえしてしまった。それが、去年の夏のことである。信長は苦境に立った。たださえ織田勢力は包囲環のなかにあった。東に武田勝頼がなお健在であり、西に中国の毛利氏が活発で播州《ばんしゅう》の別所氏とともに抗戦し、大坂では本願寺の兵威が織田勢の多年の攻囲にも屈せず、なおおとろえていない。この時機に、摂津(大阪府・兵庫県の一部)の北部から西部にかけて勢力をもつ荒木村重にそむかれてはどうにもならなかった。信長はあらゆる手段をつくして村重を説得しようとしたが村重は応ぜず、ついに征討することにした。村重は意外に頑強で、伊丹、尼崎、花隈《はなくま》の諸城をかためて籠城《ろうじょう》し、攻防は去年からかぞえてすでに七カ月になった。この酒井忠次が安土城へやってきたこの時期はどうやらこの摂津の反乱も峠を越し、秋までには片づくめどはついた。

(あと、家康にそむかれては)

という不安が信長にあるが、その不安は不安として、いまはともかくこの徳川家の「格別の者」という酒井忠次の心だけは攬っておかねばならない。家康ひとり、たとえ織田家にそむいても、時によってはこの忠次を懐柔して忠次そちに徳川家の領国のすべてをくれてやる、という条件でさそい、織田方に内応させるという調略(謀略的な外交)をもちいねばならぬかもしれず、そこは戦国乱世のことであり、そういうときが来ぬともかぎらない。

「左衛門尉、そのほうなればこそ、うち割ったことをいうのだが、きいてくれるか」

と、信長は視線を忠次の両眼の奥にまでそそぎ入れるような表情をして、本題に入ろうとした。忠次はあわてて盃をおいた。

目をわずかにあげて信長の顔色を窺《うかが》うと、信長の下瞼《したまぶた》のあたりに忠次がはじめて見るほどの赤味が異様なほどにさしのぼっている。信長はあきらかに冷静さをうしなっていた。かれは百も計算し、計算しぬいたすえにいまから忠次を相手にその本題に入ろうとしているのだが、いったん唇から言葉を出してしまえば織田家と徳川家の外交関係はあるいは決裂するかもしれない。織田家の命運に大きなひびが入るかもしれなかった。信長はその危険を賭《か》けていた。頸《けい》動脈の上にできた腫物《はれもの》を自分の手でえぐろうとしている男だけが、このときの信長の心事をやっと理解できるかもしれない。

「岡崎三郎(信康)のことだが」

と、信長は家康の子、信長のむすめ婿《むこ》、岡崎城主、徳川家の後継者であるこの若者の人物評からきりだした。あれは自分のむすめ婿で、ゆくすえひさしく目にかけてゆこうとおもっていたが、しかしどうやらそれほどの男ではないらしい、いかにも武略はあるようだが、しかし将としては士卒を愛せず、その性狂暴で、とうてい大国をたもつ人間とはおもわれない、この点はどうか、左衛門尉の存念はいかがである、と信長は一気にいった。

言いおわると、その下瞼から赤味が消えて高々と忠次を見つめつつ聴こうとする構えをとった。忠次は吸いこまれるように、

「おおせのごとく、あの三郎さまという方はまことに狂暴のご性質にて、ゆくすえ」

と、平素思っていることを正直にいってしまったが、べつに悔いはしなかった。ただ、「ゆくすえ」といった言葉のあとのことばをさがした。気がかりでございます、とでもいえば穏当であろうが、そのとき信長がその言葉をむしりとって、

「おそろしいか」

と問うてきたため、つい忠次は勢いこみ、ハイと答えた。末おそろしいというほうが、忠次としては率直な感想であり、言いすぎたとはおもわない。忠次は、信康という男に累年《るいねん》、腹が立ちつづけてきている。この男死ね、と戦場で何度おもったかわからない。

信康は平素はあかるくて物に躁《はしや》ぐことのすきな若者だが、ときに尋常でない。秋の踊りの季節に城下の者たちが城門のそばまできて城主に踊りをみせるのが習慣になっているが、あるとき、信康は桟敷《さじき》にすわってそれを見つつにわかに弓矢をとり、踊り

方の下手な者、服装の粗末な者に対し、つづけさまに矢を射込んだ。死者が数人出た。信康は、その知恵、神経のことごとくが猟人にもっとも適しているらしい。そのため鷹野《たかの》がすきであった。鷹野に出て獲物《えもの》のないときのかれの不興はすさまじいものであった。あるとき猟場で僧に出遭った。「僧に出あうとかならず獲物がない」ということを信康はきいていたので、すべてをこの僧のせいにし、みずから僧をひっとらえて首に縄をかけ、馬のわきにつなぎ、むちをあげて駆けだした。ついに引きずり殺しに殺してしまった。

が、忠次が蔵している信康への怒りは、そういうことがじかの原因ではない。信康は、忠次に対し、家累代のオトナとして重んずる作法を、すこしもとらなかった。信康にすれば当然であった。かれはうまれついての徳川氏の後継者であり、かれにすれば父の家康が松平時代から経てきた労苦や、あるいは家康がそのオトナたちや三河の豪族たちからうけた忠誠や援助については、それを知らずともよい。父の家康の地位は三河人の押したてによって浮力を保っている。家康はそれをよく知っている。が、信康はうまれながらの三河人のあるじであった。頭ごなしに三河人どもを追いつかえばよく、殺すも活《い》かすも自在である、とおもっていた。三河人の代表者である酒井忠次からみれば、

——笑止な。

という一言に尽きた。忠次は、信康にそれをわからせるよう、態度を傲岸《ごうがん》にした。そのため、摩擦がしばしばおこった。信康は忠次などを家の飼猫程度にしかみておらず、忠次がこの若殿の前でオトナとしての重味をみせればみせるほど、信康は忠次を憎み、嘲弄《ちょうろう》し、ときには衆の前で面罵《めんば》した。

忠次も、信康に接触しすぎた。信康付きの侍女で於不宇《おふう》という者に恋慕し、ついには徳姫にたのんでそれを貰《もら》いうけ、自分の女奉公人にした。これを信康が知り、

「家来が、主人の奉公人をわがものにするという法があるか」

と、大声をあげ、忠次の面目がこのためにつぶれるまでに罵倒《ばとう》した。忠次が信康を憎む以上に信康は忠次を憎んでいた。すくなくとも忠次はそうおもい、

（この人が世を継げば、わが家はあぶないのではないか）

と、前途に不安を感ずるようになった。わが家が失われるかもしれぬというときはたとえ相手が主筋であろうと正当防衛を行使するというのが、中世以来、武家という地持ちの伝統的気分であったといえる。忠次は江戸期の武士ではない。とくに忠次は中世的気分が濃厚に残っている三河人である。中世人は、利害や感情の点で相手と相反する場合、そのとる行動が極端であった。殺すか、謀略にかけるか、ともかくその

憎しみは奥歯をきりきりと嚙《か》むほどのものであり、その行動には、忠義が哲学化された江戸期の武士たちのようなあいまいさがない。

——なぜ酒井忠次は、老臣として、まず信康をいさめようとはしなかったか。

と、江戸時代、そういう点で評せられた。諫言《かんげん》とは中国の風で、江戸の教養期になって武士たちはそれを知った。かれらは自分たちの時代の倫理をもって、忠次の時代を論じようとした。忠次は中世的気分をもった乱世のひとである。その気分は、倫理で作られた江戸期の武士とはまるでちがっていた。たとえば、忠次とはやや下座《しもざ》のオトナとして同僚である榊原康政《さかきばらやすまさ》は、一時信康をしつこく諫《いさ》めた。信康はついに怒り、雁股《かりまた》の矢をつがえて弓をしぼり、康政ののどくびをねらって射殺しようとした。康政は動ぜず、罪なきそれがしをお殺しあれば大殿（家康）の思召《おぼしめ》しはいかがでござろう、といったため、信康は弦《つる》をゆるめ、奥へ入ったことがある。忠次はそのとき、

——小平太（康政の通称）もむだなことをする。

と、おもった。忠次も康政も、徳川家の侍大将としてその日常は武将としてのそれであり、合戦のときは徳川家の寄騎《よりき》や自分の士卒をひきいて戦場にのぞむが、これらの戦士たちを一令のもとに死地に投ずるには平素、死の命令者としての威厳をみずから養っておかねばならず、このためまずその主人から重んじられなければならなかっ

た。信康のような、抵抗しがたい相手から辱《はずか》しめられたりする機会は、できるだけ避けねばならない。

（諫言などをするより、三郎どのじたいをこの世から失わせてしまうほうがよい）

というのは、忠次としては堂々たるオトナの論理であった。自家を守り、徳川家をまもるには、信康のような者を消滅させねばならない。

忠次は、信康の行状に関する情報をたれよりも多く持っていた。前記於不宇の口を通してであった。於不宇は、忠次の伽《とぎ》をしていた。

ところで、徳姫は彼女自身の窮状について訴える相手が、徳川家では忠次しかいなかった。忠次にさえ訴えれば、状態は改善されるであろうという希望があったにちがいない。徳姫は於不宇をよび、それに告げ、忠次に伝えた。

そのなかにすさまじい話もあった。徳姫付きの女房で小侍従《こじじゅう》という者が、信康をいさめたことがある。信康は激怒し、小侍従の髪をつかんで膝《ひざ》の下に組みふせて刺したあと、この口がほざいたかとその唇に指を入れて左右にひき裂いた。信康は、いったん感情が激してしまえばそれが鎮《しず》まるまでどうにも制御しがたい精神体質をもっていた。それが母親からひいたものであるのか、どうかはべつにせよ、ともに感情が行動を飛躍させるところで似ており、ひとびとはこの母子の行状を一組として感ずるほどにその印象が似ていた。築山殿が甲州に内通（という政治用語を使うほどには大げさなものではないが）しているといううわさが立ったとき、この母子の感情生活の相似のために印象が一ツになって、

——当然、信康さまも。

というふうに事情通にはうけとられた。むろん、徳姫はそううけとった。

その徳姫の手紙が、いま炉のそばにいる信長の懐中にある。信長はそれをとりだしてひらき、条々を読みあげた。信康と築山殿の行状がやや誇張されてくわしく書かれている。

「いかに——。このとおりか」

と、信長はきいた。

これについて忠次は、それは御前《ごぜん》（徳姫）さまのお思いすごしでございましょう、信康さまおよび御母公はこれこれのお人柄にて、ひとの誤解はうけやすうございますが、さほどのことはございませぬ、とさえ申しひらけば信長も了解し、まして立場上、信長の一存で無理押しをするようなことはなかったはずであり、のちにも三河人たちのあいだでそう評せられた。そうであったであろう、信長にとっても、ここはかれの外交上の切所《せつしょ》であった。

ところが忠次は、

「いちいち心あたりがござる」

と、いってしまったのである。この底意地のわるさも、この時代の三河人の特徴とされていた。が、忠次にとっては、底意地のわるさという感情だけでこう言いきったわけではない。かれは家康の奉公人ではなく、家康の松平家よりも小規模ながら三河のなかでの大名である。自家の保存という点では、信長がこの課題を織田家の切所として緊張していたように、忠次も忠次なりの場所でその課題と切所があった。信康を生かしておいては酒井家はほろびるのではないかというそれである。くりかえしていわねばならないが、酒井忠次は家康の奉公人ではない。奉公人ならば不忠であろう。が、忠次は、三河国の規模内において徳川家に対し、酒井家当主として外交権を行使する資格があった。信長の外交上の切所も、忠次の外交上の切所も、同質のものである。

「で、信康の不仁暴虐《ぼうぎゃく》については三河殿（家康）もごぞんじであるか」

「存じておられまする」

「さればもはや思案の余地なし、すみやかに信康を押しこめてはどうか、三河殿のご内意はどうか」

と、信長がこの対話の当初、徳川家に要請したのはそこまでである。ところが、この場所から忠次の企画が濃厚になった。忠次にすれば信長の案は、かえって迷惑であった。信康を押し籠《こ》めなどすれば、かれに従来以上の恨みを抱かせることになり、酒井家の危殆《きたい》はいよいよ濃厚になる。

「それはいかがでございましょう。押し籠め参らせて前非を悔いさせ給《たも》うまで待ち参らせるというのは、とてもむずかしいかと存じます。なにぶん武勇に長じ給い、しかも御短慮にましまし、さらにはご孝心なし。という御性質なれば、おそらくは甲州に与《くみ》され、ご両家に対し仇《あだ》をなされることは必定《ひつじょう》ならんかと存じまする」

信康への痛烈な復讐《ふくしゅう》であろう。

信長ははげしくうなずき、即断した。

「すみやかに失いまいらすべく三河殿に申しつたえよ」

殺せ、その旨《むね》を家康につたえよ、というのである。信長は残忍であった。かれの事業そのものがその精神を必要とした。荒木村重の例でもわかるように、人間が他の人間に加える害のおそろしさを信長は日常感覚のなかで知っており、その害をふせぐにはその可能性のある人間を未然に殺してしまうほかない。この点は、忠次の立場と一致していた。

——殺す。

家康の子を、である。忠次にも似た年ごろの子があった。が、忠次は自分の子への愛をもって家康の心事を察しようとはしなかった。察する必要もなかった。信康は、忠次の子の家次のようななまな存在ではなく、なまな人間であってはならない人物であり、三河武士団の頂点にすわるべき一個の機関であり、機関としての頼もしさをひとびとに感じさせなければならない存在であった。信康は、そういう自分を育てあげることを怠った。怠ったばかりでなく、機関であることをよいことになまな感情をむきだしにしすぎた。機関が、豺狼《さいろう》になった。となれば、ゆくゆく父の家康にかわって三河武士団の幸福を擁護する機関たりえず、三河武士団としてはこの将来の盟主たるべき位置から放逐する以外にない。もっともあとくされのない放逐の方法は殺すことであった。乞食《こじき》の子を殺す殺さぬにも人情の抵抗はあるが、信康のばあいは機関としてうまれついている以上、機関を抹殺《まっさつ》するについては人情は介在しない。忠次がいまやろうとしているのは、一種のクーデターであった。浜松へ帰る忠次はむしろ意気込みをすら感じていた。

（殿も、じたばたなさるまい）

忠次はおもった。盟主が機関であることを百も承知して自分をつくりあげてきたのが家康その人であるということを、忠次はその政治感覚をあげて承知していたし、この一件は人情の課題ではないと忠次はあたまから信じていた。家康ならば政治でわりきるであろうし、また政治で割りきってもらわねば、

（殿ご自身の三河における位置もあぶなくなるわ）

と、おもっていた。忠次はそういう点で、劫《こう》を経た政治人間独特のずぶとさがある。家康がこのことで忠次を責めるようなことがあればかつての一向一揆《いっき》で家臣の半分が一揆方についたような大反乱を、忠次はおこしてみせてもいいとおもっている。が、武士のこわさはそういうところにあるということを、おそらく家康は知っているはずであった。

酒井忠次は浜松にもどり、家康に対面し、表情を殺し、信長の意志、ことば、態度を再現しつつ、くわしく復命した。

家康は、元来が小心な男である。

忠次の復命を、狼狽《ろうばい》しつつきいた。ききおわったとき、体じゅうの血が醋《す》になったようで、目が昏《くら》み、その間、一瞬も二瞬も、気をうしなった。忠次の側からみれば、

——殿はお顔の色もお変えにならなんだ。

というふうに見えたらしいが、家康は泰然とすわっていたのではなかった。魂が、肛門《こうもん》から床《ゆか》へ何度もぬけ落ちるような実感を感じた。人間が世を送るのに、多少の不幸が生起するのは人生の生理のようなものだが、家康ほどにつらい目に遭うことの多かった男も、めずらしい。その同盟国から、妻と子を殺せ、と命じてきているのである。家康という男は、築山殿に対して亭主としては閉口していたし、女としての魅力は感じなくなっているが、かといって少年のころからかぞえてすでに二十年以上夫婦であり、説明しがたい情愛だけはうしなっていない。子の信康に対しては、ましてのことであった。かれは信康を愛していたし、信康の才腕も十分みとめ、すでにかれの協同者であったし、後継者としてはゆくすえを頼もしくおもっていた。かれは信康の暴虐のことについてはわずかに耳にしているだけであったが、十九、二十という年ごろと、持前の精気がもだえてそういう所行に及ばせるだけだとおもい、あと二三年もすれば瘧《おこり》がおちたように涼やかな人柄になるであろうとおもっていた。家康にとって、十七歳でもうけたこの最初の子が可愛《かわい》く、かれの終生の痛烈な記憶になった。家康にとって、かれは六十前になって関ヶ原の戦いをやったが、その前日、雨のなかで本営をすすめているとき、

「この齢《とし》になってつらい目をすることよ。信康が生きていればかようなことを手ずからせずにすんだのに」

と、二十年前に死んだ子の名前を持ちだして声を湿らせたため、左右がみな目を伏せたという。家康には関ヶ原当時、秀忠《ひでただ》というすでに成人して一軍をひきいる後継者があった。ただし秀忠はきまじめな人物であったが、器量小さく才薄く、関ヶ原ほどの大戦《おおいくさ》をとてもまかせることができない。家康の追憶では信康ならば十万の大軍の駆引きはすらすらとやれたであろう。そういう愚痴めかしいことを、信康の死後二十年になってもまだ口にしているのである。

この間《かん》の家康の苦痛がいかに大きかったかということは、かれは浜松城の奥にこもったきり、三日間決断をくださなかったことでもわかる。この三昼夜は、家康の生涯でもっとも暗鬱《あんうつ》な時間だが、おそらく家康は思慮をかさねていたというより、自分の精神がもはや狂いへ奔《はし》り出そうとすることに、懸命に堪《た》えていた時間であったにちがいない。

どうすべきかという思案なら、簡単であった。殺さざるをえない。

もし殺すまいとすれば、当然家康は信長と決戦を覚悟しなければならなかった。

——戦って勝つ工夫があるか。

といえば、千に一つもない。家康に対する多年の圧迫者は甲斐《かい》の武田家であった。その圧力を国境の諸城でささえているいま、さらにあらたに西方から織田勢をむかえてはひとたまりもない。

ここで甲斐の武田家と同盟して織田家と断交するという手はある。が、武田家は勝頼の代で、信玄のころの勢威はなく、ことに勝頼が長篠の戦で織田・徳川の同盟軍にやぶれて以来、一段とおとろえた。

——追う必要はない。すてておけば内部から崩れて自然とほろぶ。

と、信長が長篠《ながしの》の戦勝のあと、わざと追撃せず、そう言って軍をひきあげた。それほどに勝頼の武田家は往年の信玄時代とはちがい、おとろえてしまっている。そういう武田家と同盟をむすぶほど家康は愚ではなかった。が、もし信玄在世当時に信長がこの要求をもちこんでくればどうであったであろう。家康はいそいで織田家と手を切り、武田家と結んだにちがいなかった。が、そういう勢力拮抗《きっこう》の時代なら、信長のほうがこういう苛烈な要求を家康につきつけるような愚はしない。家康を武田に奔らせるだけのことになり、織田勢力圏の尾張の東部国境は信玄・家康の連合軍におびやかされ、信長はとてもその尾張・美濃《みの》を留守することはできず、京できわどく成立しているかれの覇権《はけん》も、まぼろしのように消えたにちがいない。が、すでにいま信玄は亡《な》い。信長は家康が、自分以外にたよる勢力をもたないことを見きわめきったうえで、この難題をもちこんできているのである。

単独で信長と決戦するか。

ということは、まったく不可能であった。家康は敵の信長から打撃をうけるよりも先に、まず味方から崩壊することを知っている。三河の土豪たちは四散するにちがいない。いかに三河人が家康を中心にしての結束力がつよいとはいえ、世上一般の結束の原理からとびはなれてまでの動機が三河人にあるわけではない。家康を頂点とする三河同盟の土豪たちは、家康についていれば自家の栄えが保障されるという期待があればこそ結束しているが、家康が、かれの妻子をまもるためにその盟下の諸豪に、

——ほろびるまで戦え。

と、絶望的な戦いを強いることはできなかった。そうなればかれらは自家の保全のためにぞくぞくと織田へ奔るであろう。家康は最後は、手まわりの直奉《じき》公人だけになり、どこかの寺にでも駆けこんで自害するという光景になる。そのとき、直奉公人の百人もが、ともに腹を切ってくれる——おそらく切ってくれるであろう——というのが、

せめてもの死出の慰めであるかもしれなかった。

要するに浜松城の家康は、この三日のあいだ思慮をかさねていたわけではなく、狂おうとする自分を懸命におさえていただけにすぎない。

三日後に家康は書状を書いた。かれは人と対面することを避け、書状ですべてを処置しようとした。あてさきは三河岡崎城にいる老臣平岩親吉《ちかよし》である。

「七之助」

と通称されたこの平岩親吉というのは山芋の黒肌のような面貌《めんぼう》をもっている。心ばえは三河者の典型のようで、ひたすらに主人想《おも》いであり、家康からみていじらしいほどであった。家康が幼童のころ駿府《すんぷ》の今川家に送られたとき、平岩親吉はあそび相手として従い、ともに他国で成人した。齢は家康より二つ上であった。家康は信康の教育掛（傅人《めのと》）をえらぶとき、この親吉以外の人物を考えなかった。親吉は傅人として岡崎城に住み、戦いのときは信康の補佐者としてその采配《さいはい》を指導したから、信康の評判を高くした戦場でのかずかずの功は、この平岩親吉の助言によるところが大きい。

そういう男だけに、かれのおどろきと悲嘆は家康のそれにおとらない。

かれはすぐ岡崎から浜松へ馬で駆けとおしに駆け、城内で家康に対面するや、はじめは家康のひざをつかまんばかりにして怒り、つぎは声をあげて泣いた。泣きながら信康のむじつを主張した。甲州への内通の一件である。

家康は、はじめからその一件を問題にしていない。築山殿が明人《みんじん》滅敬を通じて武田勝頼に手紙をかいたということの異常すぎる行動も、夫である家康には単に彼女の性的ヒステリーのあらわれにすぎないということがよくわかっており、これをことごとしく政治問題の場所にひきずりだそうとはおもっていなかった。そういうことはすこしも問題ではない。

問題は、なにもない。ただ絶対的運命として家康が弱国であるということがあるだけである。

「それだけだ」

家康がいったとき、この幼いころからの従者である親吉の号泣にひきずられて、家康も声をあげて泣いた。泣きながら喋《しゃべ》った。

親吉は、家康の袴《はかま》をつかんだ。

「私の首を、いまお切りなされ」

と、顔をあげた。平岩親吉はそのつもりで浜松城にきた。自分の首を安土へもってゆきなされ、すべてはこの男の入れ知恵、しわざであり、信康も築山殿もなにもご存じなかったと安土殿（信長）に申しなされ、そのつもりですでに沐浴《ゆあみ》もし、髪も洗い、このようにして参上つかまつった。

「さあ」

と、親吉は縁へ走り出て腹を切ろうとする勢いをみせたから、家康は抱きとめた。小姓をよぼうにも人払いをしてたれもいない。家康は幼童のころ親吉とこのようにして揉《も》みあって暮していたが、いま親吉があがくのをおさえていると、幼童のころのようなかたちになった。親吉の膂《ひじ》の力がつよく、家康は突きはなされそうになった。家康は親吉の首にだきつき、その耳たぶをつかみ、

「むだということがわからぬか、死者が多くなるだけだ、考えてもみよ、わが家の筆頭のオトナが安土殿の前でおおせの節いちいち真実《まこと》であるとすでに口を開けてしまっているのだ、いまさら傅人の首をもってゆき、あれはうそ、じつはこの傅人の罪でござると申しても通ることかどうか、うぬにはそれがわからぬか」

と、家康は親吉の耳たぶを引きちぎるほどに引きつつ、その穴へ叫びこんだ。すでにおそい。酒井忠次の証言がある以上、どうにもならない。

結局は、信康と築山殿に死をあたえることになった。

家康はこの両人の処置のために身を三河岡崎城へ移し、つづいて同国西尾城に移し、指示をことごとくおわった。

家康は信康を、渥美《あつみ》湾の海浜である大浜にうつした。このあたりには漁船が多くつながれている。警護の者さえその気になれば、信康を他国へおとしてしまうこともできぬわけではなかった。が、警備役は愚直にも、警固を厳重にした。

家康のおかしさはこの信康を、この大浜から浜名湖畔の堀江にうつしたことである。この湖畔も、脱走しやすい。が、警備の将は、家康の微《かす》かな胸中をさとらなかった。

家康はさらに信康を三転させて、遠州二股《ふたまた》城にうつさせている。このときの警備責任者は二股城の守将大久保忠世《おおくぼただよ》であった。大久保は世故人情に通じた男で、当然、

（大殿は、若殿をにがそうとされているのではないか）

と察したはずであったが、この大久保も徳川家のオトナとして信康に対する痛烈な批判者のひとりであった。かれは信康にそのすきをあたえず、すみずみまできびしく警戒した。ついに家康は、そのかすかな期待をあきらめざるをえなかったにちがいない。その手もとから切腹の介錯人《かいしゃくにん》を二股城に送った。

天正七年九月十五日、信康は、みごとに腹を切った。十文字に切った。その死に方は、この青年が尋常の者でないことを十分に示した。

介錯人が、首を打つ。が、当の服部《はっとり》半蔵は悲嘆とおそれのあまり、太刀《たち》をふりおろすことができなかった。かわって遠州侍の天方某という者が打った。

後年、家康は夜ばなしの席でこの半蔵に、

「鬼の半蔵といわれたそちでも、主《しゅう》の首はうてぬものよの」

と、涙とともに語ったことがある。

築山殿は、信康の自害よりも前、遠州浜松にちかい富塚というところで、家康の手もとから派遣された二人の介錯人によって害された。その介錯人（岡本時仲、野中重政）はいずれも三河者からえらばず、遠州での新付《しんぷ》の者がえらばれた。両人が駆けもどって家康に復命すると、家康は吐息をつき、

「女のことだから計らいようもあろうに、なさけ強《こわ》くも果てさせてしもうたか」

といったため、両人はおそれ、そのうち野中重政は逐電してその故郷の遠州堀口村に隠棲《いんせい》してしまった。

家康は、晩年になるまで、この事件をおもいだしては愚痴をくりかえしたが、はるかな後年、城内で幸若の舞をみたことがある。曲は「満仲《まんじゅう》」で、満仲の郎党が、若君の身がわりに、ということでわが子の美女丸の首を切ってさしだす、そのくだりにさしかかったとき、家康は目に涙を溜《た》め、酒井忠次と大久保忠世のほうをふりかえって、

「あの舞をみよ、よくみよ」

と、言った。両人は顔をあげることができなかったという。

これもはるかに後年、酒井忠次が自分の子の家次の待遇について家康に頼みごとをしたとき、家康はふと、

「そちも子の愛《いとお》しいことがわかったか」

と、いったことがある。

家康という男の驚嘆すべきところは、こういう事件があったにもかかわらず、酒井忠次と大久保忠世の身分にいささかの傷も入れず、かれらとその家を徳川家の柱石として栄えさせつづけたことであった。忠次も忠世も、家康のそういうところを知っていたために右のように深刻な皮肉をいわれながらも、反乱も脱走もせずに徳川家の股《こ》肱《こう》としてはたらきつづけたのであろう。家康が、その妻子を自害させたことよりもむしろこのことが、家康のふしぎさをあらわすものかもしれない。家康という男は、人のあるじというのは自然人格ではなく一個の機関であるとおもっていたのかもしれない。かれの三十七歳のときの事件である。

甲州崩れ

　甲州の武田家というのは、信玄在世のころ、その最盛期にあっては、本国の甲斐《かい》をふくめ、百二十五万石の版図《はんと》があった。国名でいえば甲斐、信濃《しなの》、駿河《するが》のほかに、遠《とお》江《とうみ》と三河の一部、それに東は関東の上州にまではみ出、西ははるか飛驒《ひだ》の一部にまでおよんでいる。

「とても甲州軍にはかなわない」

　というのが天下の定評であり、その武田勢力圏に隣接する家康（三河・遠江）としては、その少壮の時代いっぱいは武田勢の圧迫にいかにもちこたえるかということで精力のかぎりをつくした。吹きつづける台風を雨戸一枚でささえているような作業であり、それもなまなかな歳月ではない。

「すべて織田家が後詰《ごづめ》にあるおかげである」

　と、かれはつねづね織田・徳川同盟のありがたさについて語っているが、一面、織田信長にとっても、その勢力を西へ西へとのばしてゆけたのは、家康が遠州浜松城にいてひとり東部戦線をまもりつづけてきたおかげであるともいえた。

武田家は、信玄の死後、勝頼《かつより》が総指揮者になっているが、その兵威は容易に衰えない。

勝頼が、最初に大挫折《ざせつ》するのは、信玄の死後二年目の天正三年、長篠《ながしの》において織田・徳川軍のために大いに破られたことだが、このとき、天下のおどろきは、

――武田勢でもやぶられることがあるのか。

ということであった。じつのところ、信長でさえ、勝頼の武田勢と戦って勝つ自信はなかった。ただかれは史上類のない戦法を用いることによって勝った。鉄砲を用いた。それも大量に用い、しかも鉄砲隊を数段にわけ、一段ごと一斉射撃させ、間断なく、まるで夕立のように鉛の玉を武田方に急射することによって、当時無敵といわれた武田の騎兵突撃を粉砕することができた。

この敗戦で、武田方の戦死者は一万、主将勝頼は馬首をひるがえして甲州へ逃げもどったが、かといってこの天正三年の長篠合戦が武田勢力を決定的に衰えさせたということはない。勝頼は、辺境をかためて織田・徳川軍の追撃を待った。

信長としては、追撃すべきであった。敵が潰走《かいそう》したばあいこれを尾撃《びげき》し、追撃し、敵の本拠をもくつがえすほどに戦果を拡大するのが、古今の戦法の大原則であった。

家康は慎重な男であったが、このときばかりは、

「ぜひぜひ甲府までも」

と、信長の陣へ使いを出し、進言した。

が、信長は同意しなかった。

「追わずとも、いずれ立ち腐れる」

と、家康へ申しやった。これだけの大痛手をうければ勝頼の声望は当然おちる。一門や味方の者も勝頼をあやぶみ、やがては離反しようとするにちがいない。数年すれば内部崩壊がはじまる、というのである。

そういうあたり、信長という大将には、驚嘆すべき勘定高さがあった。いま追って甲州に入れば、傷ついたりといえども相手は武田軍団であり、必死に防戦するにちがいない。味方の損害も大きくなる。それより数年のちの内部崩壊を待って再攻撃をかければ、当方は無傷で武田百二十五万石の大版図を手に入れることができる、というのである。

(——そういうものか)

と、家康は信長の頭のめぐらせようをふしぎなものとして感じた。ときに火のようにはげしく攻めたてるかとおもえば、この場合のように勝利軍を旋回させ、敵にわざ

わざ数年の時間をあたえようというのである。

「数年」

と信長はいったが、結局はかれがふたたび武田攻撃の大軍をおこすまで七年というながい間《ま》をおいた。

家康にとってこの七年は重かった。かれはふたたび勝頼の脅威に耐えてゆかねばならず、げんに勝頼とのあいだに一進一退の押しあいを演じつづけた。

げんにこの長篠の敗戦の年、九月、家康が駿河に兵を出していると、勝頼は二万の大軍をひきいて突如南下し、決戦をいどんだ。家康はその鋭鋒《えいほう》を見、これを避けようとし、不戦のまま軍をまとめて浜松へ退《ひ》きあげた。

その翌年の天正四年三月、勝頼はふたたび大軍を催し、家康方の遠州横須賀《よこすか》城を攻めた。家康はすてておけず、いそぎ浜松城から出て、城の後詰をすべく展開すると、こんどは勝頼のほうが自軍の不利をさとり、甲州へひきあげた。

翌天正五年にも勝頼は遠州横須賀に出現し、あちこちの村を焼きたてた。家康が浜松から出兵すると、勝頼は甲州へ去った。

翌天正六年にも、双方同様の進退があり、さらにその翌年も似た状況がつづいた。

（いっこうに立ち腐れそうにない）

と、家康は信玄が培《つちか》った武田家の屋台骨のつよさに内心舌を巻くおもいがあったが、しかし一面、家康が武田圏に放っている諜報《ちようほう》者の報告によると、内部動揺のきざしらしいものがみられぬことはない。

百姓の不平がはなはだしいという。

父の信玄は天下無敵の大軍団をつくってたえずそれを戦場へかりたてている一方、内政家としてははじつに細心な男で、領内の百姓をよく慰撫《いぶ》し、土木をおこしてかれらの生産の向上をはかるなど、その点のぬけ目がなかった。

ところが勝頼は父が内政家であったというその半面を欠いた人物で、軍事だけに専念した。

「四郎殿（勝頼）は、なるほど比類なく勇猛な大将であるが、しかしはたらきすぎる」

と、家康は敵のことながら不安におもってやったほどに勝頼は大軍を間断なくくりだしてくることに惜しみがない。それについやす糧食その他の費用を、勝頼は計算していないようであった。府庫《ふこ》がからになれば、租税を重くして容赦なく百姓からとりたてた。そういう単純な収奪だけが、勝頼の内政であった。

「恨みの声が村々に満ちております」

と、諜者が家康につたえる内容は、そういうことが多い。武田家にとっていわば植

民地である信州あたりにもその声が多いが、本拠である甲州でさえ、

「早く織田・徳川の軍がやってきてくれないものか」

と、ささやいている百姓があるという。そういう窮状や怨嗟《えんさ》の声は、百姓のあいだから出ている足軽衆にじかにひびくし、あるいは地侍《じざむらい》級のものも百姓と利害はかわらず、それらが戦力の主体である以上、武田家の士気は年々おとろえざるをえない。また武田家の高級幹部も、そういう悪気流の圏外にいることはできなかった。かれらはそれぞれ、その知行地《ちぎょうち》においては小領主であるため、領内の動揺は領主としての存立にかかわることであった。

「織田・徳川軍が来ぬものか」

との声が出ているというのは、諜者の誇張ではなかったであろう。織田・徳川圏は年貢《ねんぐ》の率も穏当で、治政もゆきとどいているというのは諸国の評判であったし、それに中世的な商業統制を撤廃して無税の自由競争主義をとっているため物価も高くない。さらに武田圏は信玄のころからほうぼうに無用の関所をつくり、通行税をとっていたが、織田・徳川圏にはそれがなかった。

この間《かん》、勝頼は外政上、まずいことをした。

かれの武田家は、在来、関東の北条氏とは同盟関係にあり、かれの妻も北条氏の出

であった。北条氏というのは小田原を本拠とし、関東で三百万石ちかい版図をもつ老大勢力で、新興のいきおいこそなかったが、この存在を無視することはできない。

このころ越後の上杉謙信が死んで、あとにのこされた二人の養子のあいだに相続あらそいがおこった。勝頼はこの内紛に無用の興味をもつうちに巻きこまれ、紛争の一方の相続候補者である上杉景勝《かげかつ》に加担した。加担したばかりでなく、自分の妹の菊姫を景勝の嫁として越後へやる約束までした。

「考えられぬことをする」

と、このことは敵である家康が奇妙におもったほどであった。なぜならば景勝とあらそっている上杉景虎《かげとら》はもと北条氏秀《うじひで》といった若者で、小田原の北条家から出て、謙信の養子になった。いま勝頼が上杉景勝を後援するということは、景虎の実家の北条氏との同盟関係を断つというにひとしい。げんに勝頼は行動した。かれはなにごともやり過ぎた。景勝に兵を貸した。そこまで肩入れして、ついに景虎を追いつめて自害させてしまった。北条氏は勝頼の無用にあきれ、

「もはや武田とは交通を断つ」

といっているうちに、こういう情勢に機敏な家康が密使を小田原に入れ、

——いかがでありましょう、当方と同盟しませぬか。

と、北条氏の当主である氏政《うじまさ》に働きかけた。氏政は凡庸な男だし、かれのまわりには有能な補佐者がいない。が、いかに北条氏が情勢に鈍感な老大勢力であるとはいえ、

「孤立してはあぶない」

ということだけはわかる。いま武田勝頼が裏切って越後と結んだ以上、小田原の北条氏としては、織田・徳川勢力と同盟するのが当然であった。

この織田・徳川・北条の三者同盟が成立をみたのは、天正七年九月四日であった。家康は、

「きょうまで夜もろくにねむれぬことが多かったが、これよりのちは枕《まくら》を高《たこ》うしてねむれる」

と、ひそかに側近に洩《も》らしたほど、この外交は成功であった。なぜなら、いままで武田氏が単独ではなく、北条氏と同盟しつつ家康の国境を圧迫していた。その重すぎる外圧が、半分に減ったのである。

勝頼の側からいえば、かれの無用の外交あそびにより、年来の北条氏との友誼《ゆうぎ》をうしなった。だけでなく、敵にまわした。敵が、倍になった。

「もはや、武田の御家もこれまで」

と、一族の者や老臣たちがことごとくおもい、勝頼に見切りをつけたのもむりはな

かった。元来、勝頼は老臣のあいだに人気がなく、かれらの諫言《かんげん》や意見をいっさい取りあげず、思うがままに軍事と政治をきりまわしてきた。

——いずれ、吼《ほ》え面《づら》をかきなさることよ。

と、こと勝頼への批評になるとかれらの陰口はつねに一致した。

が、勝頼はなおもひるまない。

「おれにはおれの料簡《りょうけん》がある」

と、この三者同盟の締結をきいて勝頼は冷笑していたという風聞を家康はきいた。

「なるほど、織田と徳川それに北条が一つになってこの勝頼ひとりを押したおすべく喚《わめ》きかかるなら、勝頼もほろびざるをえない。が、たとえ亡《ほろ》びようとも、生きて信長づれの家来になるよりましである」

と、そういうこの勝頼の様子を、

——すこしも屈せし色もなく冷笑していたりしは、さすが猛勇の大将なりと聞くひとことごとく感じけり。

と、『改正参河《みかわ》後風土記《ふどき》』は表現している。じつは勝頼の料簡というのは政略などといったものではなく、病的なほどに強烈な一個の自尊心というものが中心になっていた。

かれはその自尊心を、純粋の軍事行動によって保持しようとしていた。ときにきわめて非政略的ながら、きわめて猛烈な軍事行動をおこなった。

この三者同盟が成立したとき、家康は北条氏に対し、

「ともに日を期し、東西から駿河（静岡県）に乱入しましょう」

と、申し入れた。駿河は武田領であり、徳川圏と北条圏に東西からはさまれたようなかたちになっている。北条氏は、承知した。

この九月、雨が多い。

家康は雨中、浜松城を出、みずから指揮して駿河に兵を入れた。同時に小田原からも数万の北条軍が、箱根をこえて駿河に入った。

北方の甲府に、勝頼がいる。かれは電発して南下し、まず北条軍にあたろうとしたが、しかしこの途中、

――家康が、大井川の東岸にまで出てきている。

という諜報を得た。勝頼は、

（いまこそ家康を討つときだ）

と、急に方針を変えたのは、家康が織田の援軍なしで出てきていることを知ったからである。かれは決心した。どのような無理をしても、この機会に家康を討ってしま

わねばならない、家康を討ちとってしまえば、あとは信長だけである、織田勢がいかに大軍であろうとも甲州軍の敵ではないという自信がかれにあった。要は家康を討つことであった。勝頼はこの諜報をつかんだとき、

「家康、エツボに入ったり」

と叫んだという。エツボとは、餌壺であろう。すぐさま鞭《むち》をあげて全軍を西へ駆けさせた。

滑稽《こっけい》なことに、当面の敵であるべき北条軍は、勝頼におきすてられ、戦場に残された。

——北条侍に、わしのあとを追うほどの元気があるか。

と、勝頼は揚言していたが、事実、勝頼のいうように北条軍は立ちすくんだようにしてあとを追わなかった。北条侍の兵気はにぶいというのが、この当時の定評であった。

関係位置をいうと、北条軍はこのとき東海道三島あたりに陣どっている。

勝頼はそれより西へわずか数キロの沼津辺に展開していた。両者のあいだに黄瀬川(狩野川)がながれている。

「家康出現」

と、勝頼が知ったとき、当の家康は勝頼の現場よりざっと八十キロ西方の大井川付近にいた。すでに大井川を東へ渡っており、いまの藤枝市付近に本営をかまえ、先鋒《せんぽう》を東へむかわせている。

勝頼は、それを狙《ねら》った。かれはこのとき三十三歳という壮齢であった。馬術はたれよりも達者であり、将でありながら馬上の個人闘技もおそらく甲州侍のたれよりもすぐれていたにちがいない。勝頼はそういうおのれの武辺《ぶへん》を頼むところが大きかった。

馬上、陣羽織のえりまで泥をはねあげ、ふりかえりふりかえりして、いそげ、息の切れる者は置きすてにせよ、と叱咤《しった》した。

ときに雨がはげしく、富士川まできたとき、河水があふれ、その水流のはげしさはとうてい渉《わた》ることをゆるさない。が、勝頼はひるまなかった。みずから馬を河中に入れ、押し流されつつもやがて対岸へわたりきった。が、徒歩《かち》の者で流される者もあり、溺《おぼ》れる者もあり、このため一軍大いに混雑したが、甲州兵の強さはこれだけの苛烈《かれつ》な行軍によく堪《た》えた。

駿府《すんぷ》までは、なお遠い。

勝頼にすれば、算段はこうであった。駿府から宇《う》津谷《つのや》峠をこえ、そのあと山林のなかをえらんで行動を隠密《おんみつ》にしつつ徳川軍の背後に出、これを包囲し、一挙に崩して家康を討ちとってしまうということであった。

一方、三島のあたりで置きざりにされた北条氏政は、勝頼のあとを追うことをせず、かといって軍を小田原にもどすわけにもゆかず、

「どうすべきか」

としきりにつぶやいていたが、側近がとりあえずこのことを徳川殿に急報してさしあげねばなりますまいといったので、それだけのことはした。急報の方法はあった。北条氏は東海道随一の水軍のもちぬしであったから、早船を走らせることにした。駿河湾を突っ切れば、陸路をゆく勝頼よりも早く家康に急を告げることができる。

もっとも、家康の戦場諜報のほうが、北条の早船よりも早くこの急変を知った。

「人数は三万」

とも言い、二万ともいう。家康もほぼ同数の人数はひきいていた。が、家康は勝頼の猛気に煽《あお》られた甲州軍と真正面にあたることは不利だとおもった。

たしかに不利である。駿河一帯は武田領で武田の城が多い。そういう敵地で、勝頼の大軍に横撃されれば、いかに三河兵といえども大損害を出すのではないかとおもった。

「退《ひ》こう」

と、家康はおもい、すぐさま一軍を部署して退却に移った。一刻も早く大井川を西へ渡ってしまわねば危険であった。家康は舟や筏《いかだ》の用意は十分にしていたから、すらすらと河をわたった。渡ると、そこは自分の領国である遠州である。河口近くに井籠《いろう》（色尾）という村がある。そこでいったん集結して様子をみていたとき、北条氏政の急報がとどいた。

「かたじけのうござる」

と、丁重に会釈《えしやく》し、さらに軍を移動させ、諏訪《すわ》ヶ原《はら》というほぼ安全圏とおもわれるところまでひきさがった。

勝頼は長駆して大井川東岸の野まできてみると、

——徳川勢、先刻ひきはらい、あと寂々寥々《せきせきりようりよう》として人影も見えず。

と、『改正参河後風土記』にある。勝頼が自身いったという言葉として、

「このたび徳川を取り逃がしたること、勝頼が運の尽きなり」

という言葉を記載しているが、感情の起伏のはげしい人物だけに、落胆のあまりそういうことはいったかもしれない。おもいあわせてみると、勝頼にとっては千載一遇の好機であったかもしれない。

勝頼はこのまま軍をかえして甲州へ去ったが、この沼津から大井川までの猛烈な反

転行動が、勝頼の生涯の峠であったかもしれなかった。この駿河出兵以後、かれのまわりの一族や老臣たちの態度がめだって冷えて行ったようにおもえる。

ところで、遠州は一国ぜんぶが家康のものではなく、その北部地方や駿河寄りの地帯は武田圏内に入っていた。

「高天神山《たかてんじん》」

という丘陵が、掛川の南方七キロばかりのところにあり、丘そのものが城郭化されている。これも遠州の国内へ踏みこんだ武田方の城であり、勝頼にとっては徳川への最前線の要塞《ようさい》であり、家康にとっては自分の脇腹《わきばら》につねに切先《きっさき》を当てられている短刀にひとしい。この丘の上の城に立つと、遠州灘《なだ》を遠望することができた。このため武田氏は、この最前線要塞に対する補給は、武田水軍によって海路からおこなっていた。

ところが勝頼が北条氏と手を切ったため、駿河湾も遠州灘も北条水軍の制圧するところとなり、この高天神城が枯れてきた。考えてみると、こういうまわりあわせになるという計算もなく勝頼は上杉景勝と同盟し、北条氏と断ったのである。

「高天神城が枯れてきた」

という様子をみて、家康はこれをさらに枯らせてしまう策に出た。

その方法は、織田家の部将羽柴秀吉が鳥取城攻めのときに工夫し成功をおさめた方法で、敵城のまわりにぐるりと大濠《おおぼり》を掘り、掘りあげた土で高土《たかどい》をきずき、高塀《たかべい》をあげ、塀には付けもがりを結び、濠のむかいは七重八重に大柵《おおさく》を設け、一間に侍一人というわりあいで警戒させた。敵城のまわりをさらに城でつつみこむという方法であった。土木工事の下手な家康としては、上出来の大工事であった。

——勝頼が救援にくるだろう。

とみて、この「城包みの城」の背後にもうひとつの大濠をうがって、勝頼が後詰にきたときの防御用の野戦要塞にした。

家康としては、この高天神城をオトリにして勝頼の大軍をこのあたりまで誘《おび》きよせ、西方からの織田軍の応援をたのみつつ、ここで武田方との最終決戦をするつもりであった。家康は、勝頼の勢威が、去年のあの長駆作戦のころよりもう一段おとろえていることを知っており、こんどこそ殲滅《せんめつ》できるという自信があった。戦は勝頼のような猛攻一点張りでやるべきものでなく、勝頼の父の信玄のごとく無理をできるだけ避けつつ時を待ち、兵威を積みあげてやがては敵を圧倒すべきものであった。勝頼が父の法を用いず、かえって敵の家康が、信玄の呼吸を心得ていた。

天正八年は、このようにして終っている。高天神城の守将と守備兵にとって、これほどつらい日月はなかった。飢えが、かれらの戦闘力を日に日に削《そ》いで行った。

明けて天正九年の正月、

「勝頼がやってくる」

という風聞が、風のように東海道に吹きながれた。甲斐、信濃の大軍を催してやってくるという。家康としては、思う壺《つぼ》であった。

すぐさま近江《おうみ》安土《あづち》城にいる信長に急報したところ、信長もこのときを時機とした。

「いよいよ勝頼に死を与うべし」

と、まず先発として一将を派遣した。織田家は広大な版図をもっているから、先遣部隊として遠州にやってきたのは、越前（福井県）大野の侍たちであった。かれらは太平洋岸の風景をひどくめずらしがったという。

ところが、勝頼襲来は風聞におわった。

守将たちは勝頼に後詰を乞《こ》うたが、守将のひとりである横田甚五郎という二十六歳の甲州侍は勝頼に手紙を出し、

——後詰をなされば、長篠の二ノ舞になって武田家はほろびましょう。自分たちがこの城で死ねばすむことでござる。捨て殺しになされよ。

と、忠告した。

横田家というのは武田家の譜代の重臣で、甚五郎の祖父は信玄のころ信州入りの戦

いで戦死し、父は長篠の戦いで織田軍の銃弾に兜《かぶと》の目庇《まびさし》をうちぬかれて戦死した。それでなお甚五郎はみずからの犠牲を申し出た。

——なるほど、そういえば甚五郎の申すとおりかもしれぬ。後詰はむだか。

と、勝頼もこの申し出をうけ入れて兵をうごかすことを思いとどまったということが、天下の評判をわるくした。一族や重臣、さらには徒《かち》侍にいたるまで、

——人のあるじになれぬお人よ。

と、まゆをひそめた。こういう場合、たとえ守将がどういおうとも、存亡の危険をおかして救いにくるということで、ひとびとはあるじとして仰ぎうるのである。勝頼には、そういう感覚がうまれつき欠如していた。

ただ自尊心だけが行動のエネルギーになっているということは、すでに触れた。かれは高天神城の救援にゆかぬということが、世間にどういう反応をよぶかということをむろん顧慮した。ただその顧慮の仕方が、普通とはちがっていた。

——世間は、勝頼の武威がおとろえたと思うにちがいない。

そのようにおもった。知力も勇気もある男だが、その対世間意識は多分に少年のものであった。

勝頼は、世間に対するそういう自尊心の誇示から、みずから大軍をひきいて甲府を

出、合戦場をもとめて歩いた。遠州高天神城のほうへはゆかず、なんと方角ちがいの関東の上州へ出、そのあたりの北条系統の弱城のいくつかを撫《な》で斬《ぎ》りに斬ってまわった。むろん、大勢にはなんの影響もない。

「……後巻《うしろまき》つかまつらず、天下にその面目を失い候《そうろう》」

と、『信長公記』にもある。

勝頼に見すてられた高天神城が孤立無援のまま陥落したのは、この年の三月二十二日夜十時ごろである。この夜、城兵が、切って出た。包囲軍はすかさずこれを取り籠《こ》めたが、あとは合戦というものではなかった。虐殺《ぎゃくさつ》というにちかかった。高天神城は武田家にとって本国から遠くにある小城にすぎなかったが、

「これで、四郎殿はほろんだのも同然」

と家康はおもった。自分の家来を見捨ててしまうという、武将としてはもっともなすべからざることをした勝頼は、この城の陥落と落城の惨状が世上につたわるにつれ、かれに付属している将領たちも、

――むしろわれらこそ勝頼様を見捨てるべし。

と、離反するにちがいない。平安のころ、武士が興《おこ》って以来、主従というものは絶対的なものでなく相互扶助の必要性から成立しているというこの関係の原質を名門の

子はときに知らない。勝頼はそういうひとりであった。家康は少年のころから肌身でそれを知った。家康と勝頼の差はあるいは知力の差ではなく、そういう意識の有無か、濃淡であるにちがいない。

美濃《みの》にちかい信州の山中に木曾谷《きそだに》という土地があり、そこに、

「木曾殿」

とよばれている小さな大名が谷々をおさめている。当主を木曾義昌という。源平のころ、世にあらわれた木曾義仲《よしなか》の子孫といわれている家で、累代《るいだい》、木曾谷の福島という土地に城をもち、武田信玄の盛時、信玄の勢力が信州にのびるとともに、その傘下《さんか》に入った。隷属《れいぞく》したというだけで、他に強大な勢力があらわれればそれへ転ばざるをえない。

その木曾義昌が、勝頼が遠州高天神城を見すてたということを聞き、最初に反応を示した。木曾氏は美濃という織田勢力圏にもっとも近いため、力関係の観測には敏感にならざるをえない。

「いまは勝頼を見限るべきとき」

として、義昌は、木曾から谷伝いにゆける隣国の美濃の恵那《えな》地方に住む遠山久兵衛という豪族に使いをやった。遠山氏は早くから織田家についていた。義昌はこの遠山

氏を仲介として、

——織田氏に属したい。

と、申し入れたのである。これが、信玄のときに鞏固《きょうこ》にきずきあげた大武田圏の崩壊のはじまりであった。近江安土にいる信長は、

「ソレが機会《しお》カ」

と、いった。武田圏に大軍を送ってひた押しに押し、甲府にある勝頼の政権を覆滅して勝頼を殺すには、この信州木曾谷の裏切りを好機に、その崩れ口からつけ入ってゆくとよい、信長はそうおもった。かれはただちに大軍の編制にとりかかったが、

——自分自身がゆく必要はない。

とまで、勝頼の実力を見くびるようになっていた。かれは長男の信忠《のぶただ》にゆかせることにした。信忠はこのとし二十五歳で、官位は従三位《じゅさんみ》中将にのぼっていた。

信長自身は、戦いがあらかた片づいたあと、戦後始末に出かける予定をたてた。

ひとつには信長は多忙で、安土の指揮所を離れることができない。かれの多年の敵であった大坂の石山本願寺がやっと片づいたが、しかし羽柴秀吉を代官として派遣している中国の毛利攻めはまだ主力決戦の段階まではすすんでおらず、またあらたな作戦として四国攻めを今年じゅうに着手すべく計画をすすめていた。

この武田攻めの作戦が開始されたのは、このとし天正十年二月十二日である。総大将織田信忠は、この日、岐阜城を出発した。これより前、信長は同盟者である北条氏政に対しては「関東口より攻め入られよ」と通牒《つうちょう》し、家康に対しては、「駿河口より向われよ」

と、通牒した。北条氏が動員する軍勢は三万、家康の軍勢は二万余である。

織田本軍は七万と称された。それが二手にわけられ、飛騨《ひだ》口からは金森《かなもり》長近が将となって攻め入り、信州伊奈《いな》口からは信忠が主力をひきいて入った。

信玄がつくった武田勢力圏という大組織は、すでにその内実は腐りきっていたらしい。

織田主力軍が、木曾義昌を案内人としてすすむうち、道すがらの武田被官の者どもはことごとく義昌を通して織田方に内通したり、降参したりした。まるで無人の野をゆくようであり、岐阜発向後七日目の二月十九日には勝頼の弟がまもる信州高遠《たかとお》城を陥落させるという迅速さであった。時勢が、勝頼から去った。勢いをうしなった政権ほどみじめなものはない。

——人間というのはなんだろう。

と、家康は、その道に得手《えて》な男ながら、考えたにちがいない。家康がとらえている人間の課題は、人間というのは人間関係で成立している、ということであった。人間関係を人間からとりのぞけば単に内臓と骨格をもった生理的存在であるにすぎないということを、この人質あがりの苦労人はよく知っていた。信玄はその人間関係をたくみに、しかも大規模に組みあげ、子の勝頼はそれを手もなくうしなってしまった。家康はこの武田攻めより三年前、信長の命によってその長男と妻に自殺を強《し》いざるをえなかった。もし拒絶すれば家康の人間関係は一時に崩壊するであろう。さらにはあの一件は、筆頭家老の酒井忠次《ただつぐ》が信長に讒言《ざんげん》することによっておこった。が、家康がその忠次を罰せず、その後もいよいよ重く用い、こんどの武田攻めでも忠次に対し先鋒《せんぽう》の名誉をあたえている。家康があのとき忠次をもし冷遇したとすれば忠次はかならず謀叛《むほん》をおこしたに相違ない。おそらく信長のひざもとに駆けこんで直接むすびつき、家康をも讒訴したであろう。たとえそれを忠次はしなくても、忠次はその勢力を利用して家康の家臣団を二つに割るほどの大ひびを入れたにちがいない。家康にとってもっとも大切だったものは人間の関係であり、このためにはどういう苦汁《くじゆう》も飲みくだすというところがあった。勝頼は、その逆であった。

「なにぶん、甲斐の屋形（勝頼）と申すは、お若年《じゃくねん》にて」
と、家康はそのようにしてかれの多年の敵をよく評した。もっとも家康は若年とい
うが、勝頼の齢《とし》は三十の半ばを越えている。家康は勝頼よりわずか四つ歳上《としうえ》というだ
けにすぎない。ともあれ、勝頼は自分を成立させているものが、天授の神聖権力であ
るかのように錯覚し、人間関係であるということに思いが至らなかった。
たとえば、穴山梅雪《ばいせつ》という、勝頼の後見人のような人物がいる。
穴山家は、武田家の一族である。代々甲斐国北巨摩《こま》郡穴山の穴山城を居城としてい
たから、穴山姓を称したが、その勢力は甲斐のうちでは巨大であった。いつのころか、
この穴山家はその城のまわりに城下町を営み、山里ながらその城下を京の姿に模し、
京の名刹《めいさつ》といわれる寺々を模して城下に建てならべて大いに賑《にぎ》わいを誇ったという。
梅雪は、その穴山家の当主であった。
穴山家は武田家の一門ながら、他の連枝《れんし》よりもとくに重んぜられていたのは信玄の
姉がこの家に嫁したことにもよる。その子が、梅雪である。
梅雪とは頭をまるめてからの号で、名は信君《のぶきみ》といった。陸奥守《むつのかみ》を称していたから、
法体《ほったい》になってからは、
「陸奥入道」

などとよばれたりしている。

顔は、叔父の信玄に似ていた。信玄に似て肚《はら》のわからぬようなところがあり、なかなかの政略家で、軍事もまずくはない。

信玄は、その重臣団のなかでこの穴山梅雪をもっとも重用した。この点、徳川家における酒井家とそっくりの関係であり、酒井忠次が家康にとって筆頭家老であると同時に叔母婿《むこ》であるように、武田勝頼にとっては穴山梅雪は従兄《いとこ》にあたっていた。

故信玄がいかに穴山梅雪を重用したかということは、信玄が駿河を手に入れたとき、

「駿河を甲斐のようにせよ」

といって、梅雪を駿河探題として派遣し常駐させたことだけでもわかる。

故信玄は、武田勢力圏が広大になるにつれて、その統制法に腐心した。信州や上州のようなところは武田の系列下に入った地元の大名や小名《しょうみょう》に統治をまかせ、武田家からは監督官が出向するだけにとどめたが、駿河だけは本国同然にしてしまおうとし、甲州侍を大量に移住させた。その探題職が、穴山梅雪であった。

家康は、その駿河に兵を入れねばならない。なにしろ甲州化された国だけに、織田本軍のすすむ信州路とはちがい、相当手ごわい抵抗をうけるだろうと予測した。

（梅雪をひき入れよう）

と、おもった。

幸い、風評によると、梅雪は武田一族の代表として在来、勝頼を小僧あつかいにし、勝頼のやることをいちいち批判し、ときには面罵《めんば》し、あるときは陣中で意見があわず、勝頼が激怒して太刀《たち》に手をかけたこともあった。このとき、

——この梅雪を斬ろうとなされるか。

と、梅雪も腰の太刀を反《そら》せて身構えたというから、勝頼に対するふてぶてしさは家臣としての分《ぶん》を越えている。勝頼は、梅雪を憎んだ。

(調略できるだろう)

と、家康はおもった。

梅雪は、駿河の江尻《えじり》(いま清水市)という清水港に面したところにこの国の鎮《しず》めの城をきずいてそこに在城している。ついでながら駿河国の海岸線は単調で、天然の良港というのは清水港しかない。山国の信玄は海の経済性と軍事価値にあこがれ、駿河を奪《と》るとすぐ、

「今川氏は駿府に城をもっていたが、あれはまちがっている。江尻をもって一国の城とし、その海浜に城下町をつくり、軍船だけでなく商船をも統御しなければならない」

とし、梅雪をして城を築かせた。この城下町の名は三日市と称された。江尻のよさは、そういう政治経済の要地という以上に、風景にあるであろう。江尻の浦に立てば北は清見潟《きよみがた》と相対し、松原ごしに富士を見るのにこれほど美しいところはない。

その江尻へ家康の密書を持った使いが潜行したのは、武田攻めの号令が出てからである。

すでにこのときには、家康は遠州浜松城を発していた。二月十八日に発した。二日後には駿河における武田の城である田中城をおとしたが、厳密には拾ったといってもよい。守将が、情勢の不利をみて城をすてて甲斐へ帰ってしまっていたからである。それが二十日であり、その翌二十一日には駿府に入った。

ここでしばらくとどまったのは、いかにも慎重家らしい。かれは、穴山梅雪あたりが土地の地侍や百姓を煽動《せんどう》して一揆《いっき》をおこさせるかもしれぬことを警戒した。このため、志太《しだ》郡遠目、安倍《あべ》郡広野、同小坂、同足窪《あしくぼ》あたりの百姓たちに朱印状をくだし、保護をくわえ、そのかわり侵入軍に邪魔をするなという旨《むね》を諭《さと》した。さらに自軍に対し、いっさいの乱暴狼藉《ろうぜき》、放火、人取《ひとと》りのたぐいを厳禁し、百姓たちを安堵《あんど》させた。梅雪を懐柔するよりも、まずこういう地下《じげ》の者どもの心をつかんでしまわねば円滑な軍事活動ができないということを、家康はよく知っていた。

それらの地下への工作をひたひたとおこないつつ、一方、梅雪へ密使を送った。

家康の密書の内容は、

「織田方に加わらぬか。もし加わるなら甲斐一国を宛《あ》ておこなわれるよう、自分から信長にたのんでみる。もっともそれは不成功におわるかもしれないが、そのときは自分がかならず扶持《ふち》する」

というものであった。結局は梅雪は織田家に直属し、甲斐の巨摩郡一円をもらうことになるのだが、このとき――つまりかれが江尻城で家康の密使に接したとき――じつは織田方へ転ぶことを考え、その方法を練っていた。かれにとっては寝返ったことについての恩賞の多い少ないよりも、すでに命のほうがあぶない。

そこへ密使がきた。

密使は家康に言いふくめられていて、梅雪の自尊心をわるく刺激すまいとした。武田一族というのは頼朝の鎌倉幕府以前からの甲斐源氏の名流であるうえに、山国の人情の常で名家意識がつよく、梅雪はその点では家康などを、

――三河の出来星《できぼし》が。

と、つねにその素姓を軽侮していた。密使は心得ていて、その点を煽《あお》った。

「わが殿の申されるは、このたびの大打込《おおうちこみ》にて勝頼さまの御運は尽きはてるでござい

ましょう。されば日本の武家の名流と申すべき甲斐源氏の棟梁《とうりよう》のお家がこれに絶えること、口惜しきかぎりであるとかように申されます。となれば、穴山の御家を残されては如何《いかが》。穴山の御家は武田家の嫡流《ちやくりゆう》にもっとも近く、この御血流をお残しあそばすことは、入道様（梅雪）にとっては御先祖へのご孝養《きようよう》かと存じます」

裏切りこそ正義であり、名家保存の道であると説いた。

「そうもあるか」

と、梅雪はすくわれる思いがした。

梅雪は裏切りを約し、そのための冒険にとりかかった。気のきいた家来をえらび、武田圏の首都である甲府にむかって潜入せしめた。甲府には、戦国の常例として梅雪の妻子が、武田の宗家《そうけ》への人質として住まわせられているのである。裏切るにはその妻子をこちらへとりもどさねばならなかった。この奪還作業に、梅雪は百人の人数をつかった。さいわいこの工作員が甲府に入った二十五日の夜は風がつよく、夜九時ごろから雨が降った。その風雨が、かれらの仕事を都合よくした。ぶじ梅雪の妻子は甲府を脱出した。

翌朝、勝頼はその報に接して大いに怒ったが、しかしもはや手のほどこしようがない。

ところで。——

駿河に、岩原地蔵堂というところがある。家康はそこに宿営し、駿河一国の民心の平定をはかっていた。

その岩原地蔵堂へ、小姓数人をつれただけの穴山梅雪が家康を訪ねてきたのは、三月一日の午後である。

家康は、家来たちに命じて丁重に応対させ、やがて対面した。

（信玄とはこういう感じの人物だったのか）

と、家康は信玄に生き写しといわれる梅雪の容貌《ようぼう》をはずむような心でみた。ずっしりした頭部がまるまるとぬけあがり、ひたいせまく、まゆ騰《あが》り、頬の肉がよく実って少年のようにあかい。梅雪は意識してそうしているのか、鼻下に信玄のひげそのままの八字ひげがはねあがっており、ひげには白いものがまじっている。いかにも精力漢である。

「よくぞお決意なされました」

と、家康はいった。

「このたびの武田崩れ」

と、家康はいったが、武田家はまだ崩れてはいない。が、すでに崩れたも同然の段階であり、そのときにあたって穴山梅雪が、新羅《しんら》三郎義光いらいの血流を守る決意をなされたこと、まことにめでたく存ずる、という意味のことを家康はいった。降伏内通というかにもいかがわしい梅雪の行動をそのように美化して表現してみせたのは、ひとつには家康の本気にもつながっていた。かれは妙な趣味をもっていた。名門好きということであった。このことは、かれが三河の旧家である吉良《きら》家を保護したというくだりですでにのべたが、後年、かれにとってなんの功績もない足利家の末流の者に一万石をあたえて大名にしたり、それだけでなく大坂ノ陣のころ新田義貞《にったよしさだ》の子孫と名乗って出てきた浪人を、いきなり二千石の旗本にとりたてたこともあった。このばあい、梅雪に対してそのような態度を家康がとったのは、政略のほかに趣味がまじっている。

一方、穴山梅雪のほうも、

――自分の筋目を、家康は尊重してくれるかどうか。という点で、名流の出の者にありがちな嗅覚《きゆうかく》をもって家康の目、ことば、態度を嗅《か》ぎわけていたが、やがて大いに安堵し、

(家康は、できた男だ)

と、その価値をそのようにして評価した。

むろん、家康も趣味だけではない。穴山梅雪の寝返りというのは、政略的にも価値が大きかった。諸方で抵抗している武田家の一族や重臣たちも、

——ああ、あの穴山入道ですら寝返ってしまっているのだ。

とおもえば、おのおの、自分程度の者が武田家への恩義をおもいすぎてともに没落してゆかねばならぬ必要がない、とおもうにちがいない。

家康は武田勢力圏へ諜者《ちょうじゃ》を放ち、

「梅雪入道も勝頼を見すてた」

という情報を大いに流した。

主力軍である織田信忠の軍は、潮が満ちひたしてゆくようにして進撃している。伊奈口に対する武田方の前線司令官は、故信玄の弟で、勝頼の叔父にあたる武田逍遥軒《しょうようけん》（信綱《のぶつな》）という入道であった。

逍遥軒は、絵の上手で、本来武将であることが苦痛なようであった。兄の信玄を大いに尊崇し、信玄の晩年の像をえがいたのもかれであるといわれ、ほかに仏画なども堪能《たんのう》であった。この逍遥軒は裏切らなかった。しかし逃げた。かれが死守すべき城は信州伊奈の大島城であったが、織田軍をみるや、戦わずに逃げ、のち諸所を転々とし

ていたがやがて織田方にみつけ出されて斬《き》られた。その他、一門の武田信豊なども、病気と称して勝頼主宰の軍議にも出ず、やがて信州の山中へ逃げかくれるうち、横死した。その種のたぐいは無数に出た。

武田家の一門で織田方に対し死力をつくして奮戦したのは、勝頼の実弟の仁科信盛《にしなのぶもり》だけであった。信盛は高遠城をまもり、激闘してその属将、士卒とともに戦死した。この高遠城が陥落すると、あとは織田軍にとって甲府までただひた押しにすすむだけでよかった。

——武田の痕跡《こんせき》をすこしもとどめるな。

というのが、信長の意図であった。たとえば勝頼の生母の実家である諏訪《すわ》氏の諏訪神社というのは出雲《いずも》や熱田と肩をならべる古社であったが、ことごとく焼いた。織田軍のゆくところ、黒煙があがり、火災が地を焼き、さらに武田一族の者は女こどもにいたるまで見つけしだいに殺された。その苛烈《かれつ》さは、軍勢というより大虐殺《ぎやくさつ》団というにひとしい。

駿河口から入った徳川軍のほうは、そのようなことはなかった。家康は士卒をいましめ、狼藉あるな、無用の放火をするな、と慎重に手くばりしつつ北上した。家康が信長より温情家であったというより、家康のほうが常識的政略家であったというにすぎない。というより信長のほうが比較を絶して奇抜でありすぎた。信長はあたらしい天下像について鮮烈なイメージをもった男で、それとは裏返しに、あらゆる固陋《ころう》なものやふるい勢力に対して必要以上の憎悪《ぞうお》をもち、それらを地上からこそぎとろうとする欲求がはなはだしかった。信長の織田軍は、その意味では革命軍――士卒はそう意識していなかったにせよ――であるといえた。

家康が、甲州人に寛大であったのは、ひとつには信玄の軍法への尊敬心から出ているともいえる。かれはこの機会に天下無比といわれた甲州侍を大量に召しかかえたいとおもっていた。のち信長の許可をえてその希《のぞ》みを果すのだが、たしかに甲州の士卒は信玄の陣法になずみ、その訓練を経ているために他家の士卒とは一見してちがっていた。信玄は一人の兵の装備から戦技のはしばしにいたるまで独特の方法をもって訓練した。

「このため甲州兵がおおぜいならぶと、陣列がおのずから剛強にみえるのだ」

と家康がいったということを『中興源記』という書物は記載している。

故信玄の部将のなかでも家康は山県昌景《やまがたまさかげ》（長篠合戦で戦死）という人物にとくに敬意をはらっていた。あるとき家康の家臣で本多百助という者の家で、長男がうまれた。不幸にも兎唇《みつくち》であった。百助がこれをなげいているのを家康はきき、

「長篠で戦死した甲州の山県昌景は兎唇であったというではないか。おそらく山県がそのほうの子として生れかわってきたのであろう」

と言い、この百助の子に本多山県という名をつけるように命じた。

甲州鎮定後、家康が甲州侍を大量に受け入れたい旨を信長に申し出、その許可をえたということはすでにのべた。信玄の部将のなかでもとくに土屋昌次、山県昌景などの麾下《きか》の士卒を家康はよろこんだ。これらを井伊直政《いいなおまさ》の手にまとめて属させ、武田のころの軍装と同様、朱具足《しゆぐそく》のいわゆる赤備えにし、のち「井伊の赤備え」とよばれるようになった。さらに家康はのち一歩すすめて、徳川家の陣法や軍制を一変し、ことごとく甲州流に変えるというほどの思いきったことまでした。それほどに家康はかれの半生を悩ませつづけた信玄に対し、畏怖《いふ》のおもいをもち、信玄の死後もかわらず、さらに勝頼がほろびたあとも、その遺臣の足軽のはしばしまで、

――故信玄入道の息のかかりし者。

ということで珍重した。

武田勝頼のほろびは、あっけなかった。

かれほどに勇猛な男が、織田軍と一度も決戦できずにおわった。戦いのはじめに二万余の軍勢がいたのだが、みな逃げ散って数日後には三千になり、気がついたときに

は身のまわりには妻子をはじめ近習や侍女をふくめて九十人ばかりしかいなかった。それらをつれてあちこちに逃げまわるうち、天目山《てんもくざん》の近くの田子というところにひそんでいたが、三月十一日、織田方の滝川一益《かずます》の手の者にみつけられ、いったんは戦い、やがては自刃《じじん》した。

この鎮定のあと、落人《おちゅうど》狩りが徹底しておこなわれた。この点、織田軍は苛烈であったが、徳川軍は表面は織田家の方針にしたがう様子をみせつつ、実質にはほとんど狩りあげていない。

たとえば、

「馬場美濃守《みののかみ》のむすめがみつけだされた」

といううわさを家康はきいた。馬場は山県以上に評価された故信玄麾下の猛将で、この人物も長篠の戦いで戦死している。その娘であるというので、家康は興味をもった。

「たれの手の者がとらえたのか」

ときくと、鳥居彦右衛門元忠の手の者だという。元忠は、家康が少年のころ駿河の人質として歳月を送っていたころからの相手で、家康とは主従以上の仲であり、いまは侍大将の一人として働いている。その元忠をよんで事情をきくと、

「あれは、妻にしました」

と、元忠は意外なことをいった。家康はとがめなかったばかりか、あとで大笑いし、

「彦右衛門はむかしから、キョウスイやつ、キョウスイやつであった」

と、いった。キョウスイやつ、というのはこのころの三河言葉で、抜け目のないやつというほどの意味らしい。

要するに家康はこの勝頼の死によって、半生かれを悩ませつづけた武田への恐怖から解放された。

一方、信長は、勝頼が自分の館《やかた》を焼いて落去した翌々日の三月五日、安土城を発した。十八日、信州高遠城に入り、そこでしばらくとどまり、戦後処置についてのさまざまの指示をくだした。家康に対し、武田攻めの労を謝し、

「駿河一国をあておこなうべし」

と、沙汰《さた》したのは、このときであった。

凱《がい》風《ふう》百里

人には意外なことがある。信じがたいことであるかもしれないが、右大臣織田信長という、日本歴史を縦横に切りさいたような、この新興の天下人《てんかびと》は、富士山というものを見たことがなかった。

すでに歳《とし》も五十ちかくになっていながら、である。

「わしは富士というものを見たことがない」

と、信長はそれがひどく気がかりであったらしく、かれの死の年である天正十年四月、旧武田勢力圏である信州路に馬を入れ、甲州路へ入りつつ、そのみちすがら、何度もいった。

が、当然であるかもしれない。

当然というのは、信長は尾張《おわり》（名古屋地方）でうまれ、北のほうの美濃《みの》（岐阜県）にむかって勢力をのばし、近江《おうみ》（滋賀県）をおさえ、やっと京に出た。その間伊勢《かんいせ》と伊賀《いが》（三重県）をおさえたりしたことなどがかれの二十年にわたる征服事業の基礎になり、さらに山陽道を西にすすんで広島の毛利と対決しようとした。いずれにしても信長の運動は本国の尾張から西へ西へとすすみつづけている。

東へは、すすまなかった。

「東のふせぎは徳川どのに頼みまいらせる」

というのが、信長の若いころからの一貫してかわらない方針であった。東には甲州武田家というおそるべき大勢力が存在している。これは信長の絶えざる脅威であった。この信玄という大化物へのふせぎはすべて家康にまかせてきた。自然、信長自身が東国へ足を踏み入れる必要がなかった。富士を知らぬはずであった。

そういう織田信長が、東国への関門ともいうべき信州路に足をふみ入れたのは、この天正十年という、かれの死ぬ年であった。すでに武田家は勝頼の代になって久しく、その勢力が大崩壊しつつあった。織田家の大軍は、東国へ乱入した。総大将は信長の代理である嫡子信忠《ちゃくしのぶただ》であった。織田軍は信州から入り、沿道の寺を焼き、城を焼き、諸豪を降《くだ》し、無人の野をゆくようにして征服運動をつづけつつ甲州盆地に入り、武田勝頼を追いつめてついに自殺させてしまったが、信長自身はゆかなかった。そのあとから悠々足をあげて新戦場に入った。戦後処置をするためであった。かれはこの東国ゆきではじめてアズマと古来いわれてきた地帯の風物をみたのである。その入口の信州に入ったときでさえ、山河がよほどめずらしかったらしく、

「これが信濃《しなの》か」

と、感慨ありげであった。

信長がその沿道、すでに戦闘を終えて警備中の諸将からつぎつぎにあいさつをうけ

つつ軍旅《ぐんりょ》をすすめ、やがてその途上、敗者の武田勝頼が首になってかれのもとに運ばれてきたのを実検した。ついでかれが旧武田勢力の首都である甲府に入ったのは、四月のはじめのことである。

ここでかれがなすべきことは、富士を見るよりもまず論功行賞であった。

信長は、旧武田勢力圏のうち、信州と甲州それに上州（一部）を多くの諸将にわけたり、安堵《あんど》したりした。家康に対しては格別に、

「駿河《するが》一国」

をあたえた。同盟二十年、信長をうらぎることなく東部戦線をまもりつづけた家康の労に対し、それにむくいるという点ではこれは僅少《きんしょう》であったかもしれない。家康は本国として三河一国をもち、さらに自力で遠江《とおとうみ》一国を得ている。新領の駿河と遠州をあわせると、ちょうど現今《こんにち》の静岡県になるわけである。三河はいまの愛知県の東半分にあたる。さらにこんにちの分県でいえば家康はやっと一県半のもちぬしになったわけであった。石高の勘定法でいえば、三河三十四万石、遠州二十七万石、そして駿河は十七万石、計七十八万石ほどになった。江戸期の大名でいえば薩摩《さつま》島津家ほどの石高になったわけである。

おもえば家康は信長の唯一《ゆいいつ》の同盟者である。天下統一の協同作業者であり、それも

二十年つづいてきた。天下を山分けしようといわれてもさほどふしぎではない関係であったが、信長のほうからそういう声は出ない。さらにおもしろいことに、

——たった駿河一国か。

という声も、家康や家康の身辺からも出なかったことである。なぜなら信長が甲州入りの大号令を発したとき、この攻略について部将たちを部署した。そのとき、家康に対しては、

——徳川どのは駿河から入り給《たも》うべし。

という指示をくだした。駿河は家康領の隣接国であり、この攻め口は当然なことであった。家康は軍を発し、武田家の植民地というべき駿河路に入り、はやばやと一国を平定し、やがて北上して甲府に入ったのだが、この当時の功績の割出し法は請負《うけおい》制で、平定した土地の何割かを貰《もら》えることになっている。家康は駿河を平定した。それをまるまる貰えたのだからむしろ大きすぎるほどの恩賞であるともいえた。ただ織田家の大版図からみれば家康の取りぶんは小さすぎるが、大勢力につながった小勢力というものは、まずこの家康程度にもらえばいいほうであった。

ついでながら、この三カ国七十八万石というのが、徳川家の原型とみられるようになった。明治戊辰《ぼしん》で徳川幕府が瓦解《がかい》したとき、新政府はすでに将軍家でなくなった徳

川家を静岡七十余万石の大名に格下げし、旗本たちのうちの希望者をも静岡に移住させた。つまりこの規模にもどったわけで、要するに信長からもらった駿河をくわえた東海三カ国が徳川勢力の原型ということになる。

この駿河一国の拝領を、家康は十分よろこんでいた。それどころか、信長に対しひたすらに謙虚をよそおうこの食わせ者は、いったん辞退さえした。家康はすぐれた偽善家であった。

「じつは駿河の国と申しまするは、もともと今川領でございます」

と、家康はそこから話を切りだした。今川領だったというのはわかりきったことで、こういうねっちりしたくどさは家康がどうしようもなく田舎者であるからであろう。家康と同時代人の徳川家の記録者たちにも、この種のしつこさとあくの強さがある。

「わかっておる」

尾張者である信長はすべて軽快をよろこぶ男であった。いらいらしてうなずいた。信長はわかいころ、押し寄せてくる駿河の今川義元を桶狭間《おけはざま》に奇襲し、その首をあげてかろうじて攻めつぶされることからまぬがれた。いわれなくても、駿河が今川代々の領国であったことはわかっている。義元が死んでからの今川家は愚人できこえた氏《うじ》真《ざね》が継いだが家勢は大いにおとろえ、やがて武田信玄に国をとられてしまった。それも天下周知のことである。ところでその今川氏真はその後ほうぼうに流浪《るろう》したが、いまは家康をたより、その居城である浜松にとどまっている。

「その氏真どのがあまりに気の毒な境涯でございますので、できれば駿河をかの人にあたえ、今川家を再興させとうございます」

(なにを言やがる)

と、信長はおもったであろう。

家康も、ぬけぬけとしたことをいったものであった。すでに昔話になったが、かつて今川氏真が蹴鞠《けまり》だけが上手な庸人であるというので家康は武田信玄と密約し、双方が今川領に攻めこんで分けどりしたことがある。そのとき信玄は駿河をうばい、家康は遠州をうばった。遠州も旧今川領だったことはいうまでもない。それがいまになって氏真どのがお気の毒でありますので、と身をちぢめながら善人ぶっている家康の神経は、やはり常人のものではなかった。

もっとも家康にも自分の少年の日々に対する感傷はある。少年のころ家康は人質として日を送った。信長の父の代に織田家に行ったこともあり、のちずっと今川家にゆき、駿府《すんぷ》で今川屋形に仕えながら成人した。家康はもともと元康と名乗っていたが、それも義元から元の字をもらったものであり、今川家への懐《なつ》かしさはつねにほのかながらもちつづけている。だからといって二十年の悪戦苦闘のはてにいまやっとかち得た駿河国を氏真にくれてやると言いだしたのはどういうことであろう。

理由は、家康が信長という人物の性格を知りぬいていることから出ている。信長に接するには白刃の上を素足でわたるほどに細心の注意をせねばならないが、なによりもその好みとするところに適《あ》わせねばならない。信長は、物欲のつよい男を異常に憎むところがあり、ひとに対するかれの批評も、

「あれは欲深な男だ」

ということをしばしばいった。

家康にすればこの場合、信長に対して多年同盟者でありつづけてきたのは欲得ではなく、純粋な情誼《じょうぎ》であったことを見せておかねばならない。やる、といってくれた駿河国も、家康は二つ返事でもらうべきではなかった。二つ返事でよろこべば、信長は、

(こいつ、やはり欲のふかい男だ)

とおもうにちがいない。そう思い、家康は、泥くさくはあったが無欲な善人を演技した。そのため、

――駿河は、今川氏真どのにかえしてあげたい。

と、いってみせたのである。

むろんその善意がうそである証拠には、その後氏真が西へ流れてゆき、京の四条あたりの陋巷《ろうこう》に落ちぶれはてて住みついていたころは家康は無視した。あれではあまりにお気の毒だといって救済したのは、家康でなくのちの天下の主である秀吉であった。秀吉は氏真に四百石をあたえてやった。もっともその後、家康が天下人《てんかびと》になってからは氏真を関東へまねき、三河国守護職の家である吉良《きら》氏とともに高家《こうけ》（儀典係の直参）に列せしめ、江戸郊外の品川に住まわせた。ついでながら氏真の死後、次男高久が継ぎ、このとき今川という貴姓を憚《はばか》って姓を品川と変えている。徳川旗本の品川氏がそうである。

ところで信長は人の心に敏感すぎる男であった。家康のこの作為のみえた謙遜《けんそん》さをすぐ見ぬき、不快げに、

「アア、ソウカ」

と、言い、

「せっかく駿河一国を徳川どのの労にむくいるために宛《あ》て行うたつもりであったが、なんの能もない氏真づれにおやりなさるのなら、自分に返されよ」

と、いった。家康はあわてて、

「左様に申さるならば」

いる。

と、よろこんで頂戴《ちょうだい》する態《てい》をとった。

田舎芝居のようであるが、徳川家の記録者はこれを家康の謙虚の徳としてたたえている。

――やむをえず、おみずから（家康）の御領となされしという。

が、べつに讃《たた》えるほどのことはないであろう。ただ家康はそこまで信長に対して気を兼ねた。痛々しいほどの心づかいであった。

さて、富士のことである。

――富士というのは、まこと、美しいか。

と、信長は甲府へ入るまでのあいだ、富士を知っている側近に二度ばかりきいた。

側近が、いかにも美しゅうございます、と答えると、信長の性格で、それを聞き捨てにせず、

「絵や歌にあるように美しいか」

と、確言を求めるのである。この男はかつて南蛮人から黒人を献上されたことがある。信長はそれを珍重し、武士に仕立てて身辺で使ったが、その黒人が献上された早々、信長は本当に黒いかどうかを試すために人に命じて洗わせ、それでも黒いとわかってはじめてよろこんだというほどに実証的な性格のもちぬしであった。

この場合、富士というかれの課題は、それが美かどうかということであった。信長は歌の一首もつくったことがないほど文学的関心のうすい男であったが、西洋の音楽やオペラを愛しただけでなく、物の色彩や形象に敏感で、それがために茶道を愛し、茶器に凝り、またすぐれた絵師をさがしださせては、屏風《びょうぶ》やふすま絵をかかせた。絵の主題は絵師がきめず、たいていは信長自身がきめた。この屏風に馬を十二頭かけ、とか、京の町のにぎわいを絵にせよ、といったたぐいのことで、信長の好みはこの時代までの普通の絵画の主題とはひどくちがっていた。美術史上の安土《あづち》桃山時代は、安土城をつくったり、つば広の南蛮帽子をかぶったりするこの織田信長という男のこういう感覚世界からうまれ出たものであった。

そういう男である。それだけに富士を見ることに執着した。

ところで、富士は東海道の駿河路からみるのがもっともうつくしいであろう。それが古来の定評でもあった。

信長は、多忙であった。以前ほどでないにしても京に帰ればかれが裁断すべき仕事が山積していた。たとえばかれは羽柴秀吉が担当している中国攻めを検分しにゆかねばならないし、それと同時作戦をすべく四国征伐の計画をすでに発動しており、丹羽《にわ》長秀《ながひで》に命じて大坂に兵を集結させつつある。いそぎ帰る必要はあった。いそぐとすれば信州へもどり、中仙道をとらねばならなかったが、しかし数日のゆとりをもちたい。すでに長年の強敵であった武田氏がほろび、かれの天下統一への第一期がおわったのである。これを機会にたとえ上方《かみがた》へもどるのが数日遅れようとも、甲府から信州へ出ず、南下して駿河へ出、東海の浜を見、その浜から富士をながめつつ帰りたかった。

——そういうことでありまするそうな。

ということを、甲府滞在中の家康が耳にした。家康はすてておけない。

「ぜひ、この機会に駿河路にて富士をご覧あそばしますように」

と、家康が信長の陣屋へゆき、かれのほうから乞《こ》うた。駿河はかれの新領土なのである。かれが案内しなければならなかった。さらには富士を見てから信長が上方へ帰るその路《みち》は遠州路と三河路を経ねばならない。どちらも家康の国であった。信長を接待するとなれば、おそらく百万の軍と戦う以上に気骨が折れるであろうが、家康はその政治的誠実をかたむけてそれをやりとげてみようと覚悟した。この男は元来、ひとを接待した経験がない。

「徳川殿の接待をうける」

ということで、信長はひどく上機嫌な様子であった。が、この人物の機嫌のきわどさというものは、これより数日前、武田防ぎについての家康の同盟者であった北条氏《うじ》政《まさ》から、信長のこのたびの戦勝を祝うために、信長の大好きなはずの馬を十三頭、それに鷹《たか》三羽を贈ってきたが、信長はにべもなく、

「無用のこと」

とこれを突きかえしてしまったことでもわかる。理由は、北条氏政とその軍隊が、武田勢との交戦でじつに頼りなく、織田・徳川軍が攻めてゆくあとからおずおずと進み、敵もいない村落などに放火していかにも戦ったように見せかけたからであった。信長は、そういう人物や集団を――この人物の癖だが――憎悪《ぞうお》した。信長は、人間というものをその機能性で評価する男で、役に立たぬ連中をこれほど憎む男もめずらしい。憎悪は、軽蔑《けいべつ》につながっている。軽蔑は、

「北条など、たとえ怒らせても自分にとってなんの害もない」

という打算にもつながっている。この男は無能と臆病《おくびよう》者を舐《な》めきっていた。

――どうせ北条など、いずれは退治してやる。

と、信長は肚《はら》のなかで思い、そういう計算もあって贈りものを突っ返したのにちがいない。この信長の不機嫌は、全軍の神経を緊張させた。

そのおなじ信長が、

「駿河で徳川どのの馳走《ちそう》をうける」

ということをよろこんでいるのである。信長は、家康の二十年にわたる誠実さを高く評価していただけでなく、家康の将器に対して敬意をはらっていたし、それになによりも家康が率いる三河軍団の強さにつねに驚異の思いをもっていた。馬ずきの信長が、役たたずの馬を憎み駿馬《しゅんめ》をなみはずれて愛するように、そういう意味で家康とその軍団に一目《いちもく》おいていた。

信長が駿河富士を見るべく甲府を出発したのは、この天正十年の四月十日である。

「それがしも連れて賜《たも》れ」

と、馬上の信長にたのんだのは、戦場には場ちがいの人物であった。

公卿《くげ》の近衛前久《このえさきひさ》である。

近衛家は五摂家《ごせっけ》の筆頭で、前久はかつて関白に任じ、しかもこの年の二月、太政大臣《だじょうだいじん》という極官にまでのぼっていた。太政大臣という官位の尊貴さは、あらためていうまでもない。信長はその軍事力でもって公卿の官位をいわば買ったようなものだが、それでもなお近衛前久よりも何枚か下の右大臣でしかなかった。

ついでながらこの近衛前久は才学あり、詩歌にたくみで、その点公卿には申しぶんない教養人だったが、ただ放浪癖があった。永禄《えいろく》三年、というから信長の若い時期、ちょうど桶狭間に今川義元をやぶった年にすでにかれは従《じゅ》一位左大臣で、この年、上杉謙信の招待で越後へあそびに行っている。地方武将であった謙信にすれば、京における最高の公卿を客にするということが、付近の豪族への見得《みえ》になったのであろう。信長が京のぬしになったころには信長に接近した。信長には公卿崇拝癖はなかったが、なにぶん近衛前久といえば天子に次ぐ貴人だけにほどほどにあしらっていた。そのころ、近衛前久は薩摩島津家から招待された。薩摩はむろん信長に帰属しておらず、九州における独立勢力であった。当然、そういうところへ招《よ》ばれてゆく前久を信長は好まず、

——京におられよ。

と制止したが、前久はゆきたくなると矢もたてもたまらなくなるたちで、ついに京を脱走して薩摩へ走った。そのあとほどなく帰ってきて信長に詫《わ》びた。信長は叱《しか》るわけにはいかない。なぜなら近衛前久は天子の家来であって自分の系列外の人物であった。もっとも信長は朝臣になってからは、近衛前久の下位に立った。これも、信長にとってばかばかしかったのであろう。

その前久が信長が甲府へ討ち入るというので、

——ああ、それがしは東国を知らない。連れて賜れ。

と、信長にせがんでその軍旅についてきたのである。前久はこのとし四十六歳で、信長より二つ齢下《としした》であった。学才はあったが、どうにも根におさなさのある男で、ついでながらこれよりのち、信長が本能寺で非業《ひごう》の死をとげたとき、前久は信長と縁が深かったというので叛将《はんしょう》の明智光秀《あけちみつひで》から罰せられることを恐怖し、あわてたあげく髪を切り、にわか出家をしてしまった。そのかわり公卿一流のずるさというものはなく、要するに甘ったれなのであろう。

その近衛前久が、信長が馬上柏坂《かしわざか》というところまでさしかかったとき、背後から追ってきて、

——それがしも駿河へ連れて候《そうら》え。

と、信長を仰いでいった。信長の官位からいえば本来なら馬から飛びおりて返答すべき相手である。

ところが信長は馬に乗ったままふりむき、

「近衛」

と、よびすてにした。このあたりの凄味《すごみ》を、古い文章の言葉を借用していうと、

「近衛、わごれなどは、木曾路《きそ》(中仙道)をのぼりませ」

と、信長はいった。わごれという言葉づかいもひどい。信長ハ人ノ肩ゴシニモノヲ言ウ、と宣教師などの報告文にも書かれているが、かれは天下人になったから威張っているのではなく、天性自分が指揮者であり、権威の中心であるとおもいこんでいたふしがある。

「ひどいことをいわれた」

と、この太政大臣は京にもどってからひとにこぼしたが、おそらく近衛前久には信長の気分がわからなかったであろう。信長は、これだけの男でありながら、家康に一《いち》抹《まつ》の遠慮をしていたのである。一抹とはいえ、「肩ごしに物を言う」信長にすれば唯《ゆい》一《いつ》の例外であった。家康は多年、かれの役に立ったという点についての信長らしい価値認識がまずあり、その上に家康の有能さへの敬意が積まれている。さらに、

「それほどにわしに恩を売りながら、すこしも誇りがましい顔をせず、すこしも功労をたねに狎《な》れ狎れしい態度もみせず、以前以上に恭《うやうや》しくてへりくだっている」

ということに、家康という男の底知れなさを信長は感じていた。そういうことも、家康への敬意の裏打ちになっている。さらにいま、家康は戦陣で疲れているのに自分を駿河はじめ三国の地をあげて接待しようとしている。信長には、家康という男の痛々しいばかりの誠意がわかるのである。

（彼も、気苦労の多い男だ）

ということは、信長にはよくわかっており、むしろ信長は自分こそ家康を大供応して家康の多年の労にむくいねばならないとさえおもっている。げんに信長は安土に帰ってから家康を招待し、その招待の仕方が粗末であったとしてその担当官である明智光秀を追放せんばかりの勢いで叱ったのである。

信長は、そういう点、よくわかっている。

——が、近衛めはなにもわからぬ。

という、そういう鈍感さが、信長にとってはたまらなく嫌いであった。近衛前久の鈍感さはこうである。家康は信長ひとりでもその国土の草木も慄《ふる》うばかりの気づかいで接待するであろう。それへ太政大臣たる天下第一の公卿が加われば、家康の気づかいは倍加するにちがいない。近衛は、そういう点で鈍感であり神経が図々しく、公卿一流の共通性格であるにしてもひとの気苦労に同情がなくその好意に平気で乗るところがあった。信長は家康へ気を兼ねて、兼ねるあまり、かっとなって罵《ののし》ったにちがいない。

——このわしでさえ徳川殿に遠慮しているのだ。わごれまで連れてゆけるか。

という意味のことを信長はつけ加えたともいう。信長の心情はそこにあり、それを察せぬ男は、近衛であれ誰であれ憎々しいらしい。

信長にとってどういう人間に価値をみとめているかといえば、『備前老人物語』という古い書物に、

「惣《そう》じて人は、心と気とをはたらかすをもって善しとす」

という意味のことを信長がいったということになっている。あるとき信長が居室にいた。小姓をよんだ。よんだが、べつに用はないといってさがらせた。また別の小姓をよんだ。これに対しても同様、用はないからさがれ、といった。さらに別の小姓をよび、おなじことをいった。その小姓はさがるときに、畳の上に塵《ちり》が落ちているのに気づき、それをそっと袂《たもと》に入れてさがった。「あれが武辺《ぶへん》というものだ、その心づかいしおらし」と信長はほめたという。近衛前久が悪罵《あくば》をあびせられたのも近衛前久の無神経さがそういう信長の価値観に適わなかったからであり、いまから信長を接待しようとする家康が心を痛めたのも、信長のこの価値基準があるためであった。

時に、野山はあふれるばかりの新緑でみちている。

この季節に多年の宿敵をほろぼして上方《かみがた》へ凱旋《がいせん》する信長の心事の愉《たの》しさというのは、想像にあまりある。信長は、武田家をほろぼすことによって中世そのものをほろぼし

たといっていいであろう。

信長自身は近世の扉を打開したという自分の仕事の歴史的位置に気づいていたかどうかはべつとして、あたかもそれを知っているかのように、この凱旋の旅では、馬上、南蛮帽子をかぶっていた。すでに陽ざしが強くなっている。馬は、陽のなかで汗ばんでいた。かれの乗馬は純白といっていいほどの白馬で、かれが尻《しり》をすえている鞍《くら》は金《きん》蒔絵《まきえ》であった。

家康はその信長のそばにはいない。接待を指揮宰領するために、沿道を先行していた。

その家康の心づかいといえば、甲府から駿府まで黄金《こがね》の道でも舗《し》きそうないきおいであった。甲府を発《た》って信長はまず笛吹川を南へわたった。甲府の外濠《そとぼり》ともいうべきこの川には元来橋がなかったが家康は数千の人夫をうごかし、一日で橋をかけていた。

「心きいたことよ」

と、信長はらくらくと渡りながら大声で感心の意をあらわした。その日の泊りは、笛吹川南岸の姥口《うばくち》（左右口とも書く。いま中道町）である。

甲府から姥口までの道路はところどころあぜ道のようにせまい。家康はそこを道普《ぶ》請《しん》してひろげていた。さらに沿道の警固には徳川武士が人垣をつくって勤めた。

姥口における信長の宿館も、急造ながら御殿風につくっておいた。

「よくもこう手早くできたものだ」

と、信長の驚きはしだいに増している。その宿館の防御のために三重の柵《さく》がめぐらされていた。さらに信長の家来たちのために百あまりの小屋がつくられていた。平素吝嗇《りんしょく》で通った家康は、この接待のために一国の財政をかたむけようとしているらしい。信長の士卒の朝夕の賄《まかな》いも、家康のほうから出た。

「いや、これはおどろく」

と、信長は何度もいった。『信長公記』による信長の感嘆のことばは、

「奇特《きどく》々々」

というものであった。

この翌日の行旅は、女坂から高山にのぼったのだが、道路にかぶさる樹々《きぎ》の枝はことごとく伐《き》り払い、昼の休息場所には、谷にのぞんで茶屋が建てられていた。

「この風はどうだ」

と、信長は谷から吹きあげてくる薫風《くんぷう》にまたまた感嘆の声をあげた。茶屋の構造の結構さもさることながら、茶屋に付属して幾棟もの厩《うまや》まで建てられていることも、信長を感心させた。

(家康はいったい何万の人夫をうごかしているのか)

と、信長は家康という、元来風流韻事にはほど遠い田舎武将のこのおもいきった接待ぶりにむしろあきれる思いがした。

信長のまわりの連中が、信長のおどろき以上におどろいたのは、

(徳川どのは茶事すら嗜《たしな》まぬときいていたのに、この物馴《ものな》れた風流はどうであろう)

ということであった。

が、この秘密は信長は知っている。じつはこれは信長に対する家康の巧みさと可愛《かわい》気《げ》のあらわれの一つだが、接待するにあたり、

「ご側近の長谷川秀一《ひでかず》どのをお貸し下されと、家康はたのんだのである。

長谷川秀一は、信長の秘書のひとりであった。とくに信長の趣味生活での秘書で、信長の好みをこの男ほど知っている者はない。もともと尾張の名族の出で、信長はこれを少年のころから召し出し、

「竹」

と、きびしく躾《しつ》け、可愛がってもいた。竹というのは幼名で、長じて藤五郎秀一と名乗ったが、信長のよびかたはいまでも、

「竹」

である。竹はのちに秀吉によって大名に取りたてられ、越前一乗谷付近を領し、朝鮮ノ陣で渡海し、陣中で病死している。

「聊《いささ》かもへつらうことなく、直心《すぐごころ》にまかせ振りまわせし人なり」

といわれて、まわりの評判もいい。竹はすぐれて茶事に通じていたばかりか、信長の好みを、ときには信長自身以上に知っていた。家康はこの竹を顧問にしたのである。

感覚だけは、竹から借用した。それを実施するについて万金を投じ、数万の士民をうごかし、それを機能的にうごかしつづけたのは家康の才覚である。考えてみると、人間の集団をさまざまに組みあわせて部署してゆくやり方は、接待も戦争もかわらない。

その翌日は、

「本栖《もとす》」

という土地に宿泊した。本栖はすでに富士の北西麓《ろく》にあり、本栖湖の湖畔にある。

その本栖にも家康は信長の宿館を急造した。

「御座所、結構に輝くばかりに相構え」

と、信長の側近のひとり太田牛一がその著『信長公記』でそう表現している。

翌未明、信長は本栖を出発した。すでに高地であるため、冬の最中のようであった。やがて神野《かみの》ヶ原《はら》や井手野《いでの》といった芝草の大平原にまでくると、

「この日本国にこれほど濶《ひろ》やかなところがあったのか」

と、信長は少年のころにもどったようによろこび、むちをあげて馬を駆け狂わせ、それにつづいて小姓どもまでがその真似《まね》をしたため、青畳の上に蚤《のみ》が四方八方に跳びまわるような光景になった。やがて暁闇《ぎょうあん》のなかに富士の頂がしろじろと現われ出るのを信長は見、馬をとめて見あげ、天地のなかで放心しきったように見つづけた。

「雪積りて、白雲のごとくなり」

と、太田牛一がいうような景色で、「まことに稀有《けう》の名山なり」と、行間に溜息《ためいき》がきこえてくるような文章をのこしている。

あとは人穴を見物したが、ここに家康は準備《まわり》よく茶亭をたてている。信長は一服した。ついで白糸の滝を見た。

この夜は、大宮に泊った。大宮は富士浅間《せんげん》明神が鎮座するところで、社人屋敷が軒をつらね、なかでも城館のように宏壮《こうそう》を誇っているのが大宮司家の屋敷であった。大宮司は姓を富士氏といい、戦国期には武家のまねをしてなかなかの勢力があった。信長はそこへ泊ったが、座所は家康がしつらえた新築で、埋《うも》れ木の一枚板の障子に金銀

の飾り金具などが打たれており、都にもこれほどの建物がすくない。

ここはむろん、駿河の国である。このころ駿河富士郡大宮といった。家康はここで信長を出むかえた。

「徳川殿、よくぞおもてなし下された」

と、信長は手をとらんばかりにしてよろこび、秘蔵の脇差《わきざし》（作・吉光）一口《ひとふり》、太刀《たち》（作・一文字）一口、その上、信長がもっとも愛していた「黒駮《くろぶち》」という名の名馬をあたえた。

家康は、まだ緊張はゆるめられない。

この翌朝、信長は浮島ヶ原から足高山《あしたかやま》を横に見、やがて富士川をわたり、蒲原《かんばら》に入った。ここでも茶亭が建てられていて、案内役の家康は一献進上した。以下、興津《おきつ》の沖に立つ白波を見、三保の松原から富士をあおぎつつ久能《くのう》へ入り、その夜は江尻《えじり》城に泊った。翌日は駿府の中町口で茶を喫し、この夜は田中城で一泊。翌四月十六日は懸《かけ》川《がわ》に泊り、十七日は天竜川を渡った。

この天竜川渡りというのは、家康がやった心づかいのなかでも最も大がかりなものであった。もともと天竜川というのは甲・信両国の大河が集まって奔流をなすところで、川の面は滝のようにとどろき、その様相のすさまじさは尋常ではない。家康はここに舟橋をかけたのである。

舟橋というのは、河流に舟を繫《つな》ぎならべ、その上に板を置いた仮橋だが、天竜は流れがすさまじいために舟橋などはとてもかからない。が、家康はそれをやってのけた。大綱だけでも百筋以上引き、両岸で数千の人数がそれを持ち、舟が流れぬようにした。

「上古より初めてのこと也《なり》」

と、記録にはいう。

このあとの沿道の警備もさることながら、泊りの土地には信長の宿館だけでなく、信長の家来のために千五百軒の小屋を建て、さらに出発となるとその材料を解体してつぎの宿泊地へ運んで組みたてるというさわぎであった。

信長が、家康の居城浜松城にとまったときはもはや感謝の言葉も尽き、

「徳川どのにどういう返礼をしてよいか、これは思いまどう」

と言い、とりあえず黄金五十枚を謝礼として置き、さらにかつて信長が武田勢との対戦の用意のためにこの地に貯蔵してあった兵糧米《ひょうろうまい》八千余俵を、接待のために奔走した徳川家の家来への礼として贈った。

「わしはこれほどまでに賑々《にぎにぎ》しくもてなされたことはない。古来、いかなる者も、これほどのもてなしを受けた者がないのではないか」

と、信長はきわめて満足げであった。家康は、まったくこの大事業のために粉骨した。信長は家康がいかに自分を崇敬しているかということを、身をもって知った。大井川の渡しのときなどは、みごとであった。信長は人のかつぐ輿《こし》でわたり、信長の家来たちは人夫の肩に乗って渉《わた》った。足軽、中間《ちゅうげん》といった雑人《ぞうにん》にいたるまで、徳川家の人夫の肩車にのって渉った。

それだけではない。川の流れが、信長とその家来衆を圧迫せぬよう、家康の家来数千人が川の上手《かみて》に人垣をつくり、水勢をやわらげたのである。信長はその三河衆の人垣を右手に見つつ、

「おお、ゆゆしや。三河武者どもの馳走《ちそう》を受けるわ」

と、この無口な男が、そのように声を発し、会釈《えしゃく》しながら通った。姉川の戦いなどで織田軍の危険を何度かすくった天下最強の三河衆が、いまは川面《かわも》に首と肩のみを出し、衝立《ついたて》のようになって流れをふせいでいる。信長とその尾張衆は、三河衆の奉仕のなかを悠々わたってゆくのであったが、信長はこの多少滑稽《こっけい》と哀れさを帯びた三河衆の奉仕を、このたびの家康の馳走のなかでもとりわけ感銘のふかいものとしてうけとった。

信長のこの凱旋旅行の期間は、わずか十一日間でしかない。四月二十一日、ぶじ近

江安土城に帰ったが、かれの多忙をきわめたその生涯のなかでこの十一日間は唯一《ゆいいつ》の遊覧旅行であった。大げさにいえば、信長はここ二十年のあいだに十一日間だけ休暇をとった。あと、かれには休暇はなかった。なぜなら、かれはこのあと四十日ほどしてから突如の死により四十八年の生涯を終えてしまうのである。

安土に帰った信長は、羽柴秀吉が担当する中国攻めと、あらたに丹羽長秀に命じた四国攻めの軍務のために多忙であったが、しかし家康への返礼をせねばならぬとおもった。あれだけに豪華でしかも心尽しに満ちみちた家康の接待に対し、信長としては立場上、倍以上の返しをせねばならなかった。

「徳川どのに富士を見せてもらった以上は」

上方を本拠とする信長としては、家康とその老臣たちを京にのぼらせ、京見物と堺《さかい》見物をさせることによって返礼したいとおもった。信長自身は京の古典文化には関心が薄かったが、三河の田舎衆にはよろこばれるであろう。堺には信長の大好きな新興の南蛮文化がある。

——近々に安土へ参られよ。

と、信長は家康と別れるときにそう言い残したが、家康のほうも駿河を拝領したお礼に参上せねばならない。その日取りも、双方の使者たちがきめた。信長が安土へ帰ってほどなく、家康が遠州浜松を出発した。五月十一日である。家康は、その老臣たちを従えている。それに、武田家の一門で当方に寝返った穴山梅雪入道をもともなっていた。

尾張路に入ると、織田勢力圏である。所《ところ》の大名たちは、すでに信長から、

「心を傾け、金銀を悋《おし》まずに徳川どのを接待せよ」

と、言いつけられている。かれら尾張衆はこんどは家康とその主従のための奉仕者になった。奉仕者たちは家康を敬していたからではなく、できるかぎりの手厚さで家康に奉仕せねば信長の機嫌を損ずるからであった。信長に恥をかかせる、ということになるのであろう。

沿道はみな道普請《ぶしん》ができていた。これは家康がやったやり方を、沿道の諸将がまねたものであった。泊り泊りには、所々の国持ちや郡持《こおりも》ちの大名が家康の草履《ぞうり》をみずからとるようにして接待した。

五月十四日には、近江に入った。近江路に入って早々の宿泊地は番場《ばんば》（米原付近）であった。ここは丹羽長秀の領地であり、長秀はすでにこの山狭《やまかい》の宿場に家康のため

に仮御殿を建て、みずから接待に出ていた。

「痛み入ります、痛み入ります」

と、家康は何度もいわねばならない。家康とこの丹羽長秀とは、上下の関係はどうなるのであろう。長秀は、織田家の五人の長官のひとりであった。五人とは、柴田勝《しばたかつ》家、滝川一益《かずます》、明智光秀、羽柴秀吉、そして丹羽長秀である。信長の家来とはいえそれぞれ大国のぬしで、その点、同盟者の家康とかわらない。家康にとっては、むしろこの五人の長官の機嫌を損ずることをおそれた。どのように信長に告げ口されるかわからないからであった。家康はできるだけ辞を低くし、会釈を丁重にして、あたかも長秀の下位に立っているようにへりくだった。このため接待されながらも、じつに気骨が折れた。さらにもっと気骨がおれたことは、信長の嫡子《ちゃくし》信忠がわざわざ番場へやってきて、家康にあいさつしたことであった。

「行きとどいたことよ」

と、家康の家老酒井忠次《ただつぐ》などは、信長の心づかいにすっかり気をよくしてしまった。家康はそういう老臣たちをいましめ、

――接待するよりされるほうがむずかしいものぞ。

と、相手が信長だけに身を恭《うやうや》しくし、ひたすら恐れ入っておれ、と毎日のように言

いふくめた。

琵琶湖《びわこ》の湖東の安土城下に入ったのは、五月十五日である。家康のために設けられた宿館は、大宝坊という寺であった。

この大宝坊の段階において、

「徳川どの接待」

という役目を信長から命ぜられたのが、明智光秀である。家康は昼すぎにこの宿館に入ったが、接待役光秀は京や堺に人を走らせて接待のための品々をととのえる一方、大宝坊ではすでに準備を万端ととのえて待っていた。家康はただ入って、すわればよい。風通しのいい書院で光秀に対面した。

「日向守《ひゅうがのかみ》（光秀）どの、痛み入ります」

と、家康は上座からいんぎんに会釈したが、光秀の様子がどことなくやつれている。

（病気か）

と、家康は不審におもった。光秀は牢人《ろうにん》の境涯から信長にひろわれ、その才略を買われてここ十年で大いに立身した人物だが、すでに齢《とし》をとっていた。五十四歳であった。若いころは秀麗な目鼻立ちだったというが、顔は小ぶりで赤く、ひたいがつやつやと抜けあがって、信長があだなをつけたように金柑《きんかん》のようであった。そのいつも血色のいい顔色がすぐれなかった。

この光秀が、この日から半月後には信長を本能寺に攻めて弑殺《しいさつ》する男になるのだが、家康の接待役だったこの日、そういう計画を腹に秘めていたわけではない。光秀は、一見常識家で、織田家の諸将のなかでは細川藤孝《ふじたか》とともにもっとも教養が高かった。とくに室町風の武家礼式にあかるい。光秀が接待役にえらばれたのは、他の四人の長官がそれぞれ担当領域において政戦に多忙であったのにひきかえ、光秀がうけもった丹波・丹後（京都府）平定という仕事が一段落し、かれは丹波の国主として比較的ひまな位置にあったからであった。

家康は、光秀が信長によってその能力を買われているものの、気分の上では信長から好かれていないということを知っていた。さきの甲府入りのとき、光秀も従軍した。ほぼ旧武田圏が平定されたとき、光秀は諏訪《すわ》における信長の陣所で、

「かようにめでたきことはございませぬ」

と、戦勝を寿《ことほ》いだ。そのとき、

「われら多年の骨折り甲斐《がい》あって」

という一言が、余計であった。信長はこういう倨傲《きよごう》さというものを嫌った。そのことは家康は百も知っていたから、信長に対し、二十年の骨折りというものを自分の口

からいっさい出さなかったのである。いま中国征服を担当している羽柴秀吉も、この点だけはおくびにも出さないばかりか、自分の功が大きすぎることをおそれた。秀吉は織田家の大軍をあずかって播州《ばんしゅう》路で戦い、ようやく毛利同盟の別所氏の居城である三木城を陥《おと》して備前路に進み入っているが、しかし最終の敵である毛利の本軍との決戦については、

——どうにもこの藤吉郎には自信がございませぬ。

と、信長に何度もいってきている。最終決戦は信長に直接指揮してもらいたい、と秀吉は頼み入っているのである。いま秀吉は、毛利同盟の一環である清水氏の備中《びっちゅう》高松城を水攻めにして長期包囲の態勢をとり、それによって安芸《あき》広島の毛利本軍をおびき出し、最終決戦をしようという段取りでいた。その決戦に自信がないと秀吉はいう。むろん秀吉の本音ではない。武田氏以上の大勢力である毛利氏を、自分一人の手で屠《ほふ》ってしまえばその功績の大きさは測り知れぬものになる。功烈主《しゅ》ヲ越エル者ハ滅サルという。秀吉はその功を信長に譲ってしまうことによってそういう危険を避けようとしていた。秀吉。こういう点、二十年の同盟の功をおくびにも出さない家康とおなじ人間眼を秀吉は持ち、おなじ配慮をこまかくおこなっていた。が、光秀にはそういう感覚がなかった。

光秀は、一種才能万能主義といった臭味があり、自分の才を恃《たの》むところがつよい。一つには性格であり、一つにはかれは初老になるまで身一つ才覚一つで生きてきた牢人であったことにも根ざしていた。牢人が、常の士とちがうところは人間関係というものが貧弱であるということである。人間は人間関係で成立しているということを秀吉や家康ほど知っていた者もすくなく、家康はそれへの配慮のために妻子をも殺さざるをえぬほどにむごい目に遭っているが、光秀にはその感覚が乏しかった。反面、ずるさに乏しいということもいえる。光秀はたしかに功を樹《た》てた。であればこそ正直に

「われら多年の骨折りの甲斐あって、このたび武田家が滅亡、祝著《しゅうちゃく》に存じまする」

といった意味のことをいったのである。が、織田家というこの奇跡的な大勢力というものは信長という天才によって成立したものであり、その苦心は信長自身がよく知っている。信長にとっては工人は自分一人であり、秀吉、光秀は槌《つち》や鑿《のみ》のような道具であるにすぎなかった。道具はできるだけ鋭利であるほうがよい。信長は列士のなかから鋭利な者をえらんで長官にした。が、あくまでもそれは道具であり、道具が自分の功績を言いだすということを頭からきらった。光秀がこれをいったとき、信長は激怒し、

「そのほうに何の功があったというのか」

と叫んで光秀の首筋をおさえ、欄干に押しつけ、力まかせにその頭《こうべ》を打擲《ちょうちゃく》した。こ

の乱暴は諸将のひかえている前でおこなわれた。光秀にとってこれほどの不面目もなかったにちがいない。光秀はこの家康接待の日から半月後に本能寺を襲い、信長も寺ももろともに焼いてしまうが、そういう行動――すべての人間関係をみずから破壊するという――大飛躍については、光秀個人の性格的な課題もあり、さらには一つや二つの原因だけでは考えられないにせよ、すくなくともこの日家康を接待すべく家康にあいさつにきた光秀の様子には、あとでおもえば、

（表情が冴《さ》えず、どこか思いが濁ったような。――）

といった印象を家康はうけた。

が、光秀は仕事にそつのない男で、家康への接待についてはすべて遺漏のないようにふるまった。光秀は自分の財力をあげてこの接待に使おうとした。

ところが、光秀は接待役を命ぜられてからわずか三日目に、それを罷《や》めさせられた。

「それがし、にわかに主命があり」

と、光秀は大宝坊まで断わりにきた。

家康は内心おどろき、なにごとかあったのかと思ったが、どうも事情がわからない。

が、じつは平凡といえばいえる事情であった。備中（岡山県）にいる秀吉から、

――毛利の本軍が出て来そうです。

という旨《むね》の急使が安土城にとどいたのである。信長は勇奮し、みずから馬をすすめるべく返事をしたが、まずかれがゆくにしても先発軍を出発させねばならない。いわば信長がじかにひきいるべき軍団をさきに備中へ発しておかねばならない。その軍団長に信長は光秀をえらんだ。織田家の五大軍団のうち光秀とその軍団だけが目下手待ちであった。

「日向（光秀）はすぐゆけ」

と、信長は命じたのである。このため光秀は接待という日常の業務から解放され、作戦へ動員された。事情とは、それだけであった。家康はあとでそれがわかり、

（そういうことか）

と、気にもとめなかった。

さて、接待である。

光秀が作戦行動へ入るべく居城の坂本に帰ったあと、織田家の五人の長官はもう一人も安土にはいない。番場で家康を接待してくれた丹羽長秀も、四国征伐の準備基地である大坂へ行ってしまっている。信長が直々《じきじき》接待するほかなかった。

信長はそれをやった。

かれは家康とその主従に上方能を見せるために幸若、梅若の太夫《たゆう》たちをよんで舞わ

せたり、五月二十日には城内の高雲寺御殿で家康のために善美をつくした酒宴を張った。

家康のそばには、徳川家の重臣である石川数正、酒井忠次らがずらりとひかえている。右大臣信長はみずから立って膳《ぜん》をはこび、まず家康の前に据え、ついで石川の膝《ひざ》前《まえ》、酒井の膝前などにつぎつぎとすえた。

「あすはご上洛《じょうらく》あれ」

と、信長はとびきりの機嫌で、一人一人に言った。かぞえてみると、家康は十五日に安土に入ったから、安土城下には六泊七日の滞在になる。あす二十一日は、京へ出発するわけであった。その家康の先導と案内の役としては、

「竹がつとめよ」

と、富士見物のとき家康に知恵を貸した長谷川秀一を、信長は命じた。

翌二十一日未明、予定どおりに家康は安土城下を発ち、その日のうちに京に入った。ずっと晴天がつづいており、この入洛の日も京の西山の雲が茜《あかね》に染まった。

家康は、京において織田家の接待をうけ、そのあと堺見物をすべく下向《げこう》した。堺に入ったのは、五月二十九日であった。宿館は、信長の命で堺の政所《まんどころ》（代官）になっている松井友閑《ゆうかん》という勢力家の屋敷で、友閑は茶のほうでも名が高い。

「もはや、かようなもの、お珍しくはございますまいが」

と、友閑はいって、欧州製の繻珍《しゅちん》、びろうど、フランスのゴブラン織、ペルシャの革などを家康に進上した。酒井忠次らはその目もまばゆい文物に声をのみ、ときには声をあげたが家康はべつに感激もせず、ただいんぎんに頭をさげていた。

六月一日の夜、明智光秀は大軍をひきいて丹波亀山《かめやま》城を発した。この日、堺では家康は富商今井宗久《そうきゅう》にまねかれ、茶ノ湯の供応をうけていた。堺は茶ノ湯の中心であるだけにそういう招待が多い。この夜は、松井友閑屋敷で、百燈《とう》をともして幸若の能が興行され、さらに小庭の燈籠《とうろう》の灯を賞《め》でつつ、友閑から夜の茶をふるまわれた。

やがて六月二日の朝があけた。この未明、すでに信長はこの世にない。

が、家康は知らなかった。この日の予定は堺を発《た》ち、京へのぼり、本能寺に泊っているはずの信長に接待の御礼を申しのべるつもりでいた。

家康は早朝、堺を出た。

脱出

信長は、本能寺に泊っている。

その本能寺から歩いて五分ばかりのちかくに、京におけるキリスト教の最大の会堂である天主教会があり、十字架《クルス》がそびえていた。

「信長はキリスト教を保護した」

と、日本西教史に報告されているように、かれは南蛮僧の誠実さとかれらがもたらしてきた異質の文化を好み、その布教をゆるし、教会を保護した。このカトリックの団体は、異国への伝道をもって使命とするジェスィット会の連中で、この団体は、カトリックのなかでもとくに清貧をもって誓いとしていたことが、信長の気に入るもとになった。事実かれらは財貨をむさぼらず、キリシタン大名から喜捨をうけるとすぐさま貧民にばらまくというやりかたをとっていた。信長は人間の欲深さを憎むことが異常なほどであったから、南蛮僧のそういうやりかたをつねづね感心していた。

この朝、神父カーリオンはいつものように暗いうちに起き、法衣をつけた。やがて聖壇の前にひざまずき、ミサの祈禱《きとう》をおこなっているときに、おもてのほうにあたって轟然《ごうぜん》たる物音が生じ、やがて天地が割れるほどの銃声がきこえた。地上の終末がきたのかとおもわれるほどの異常さであった。やがて教会へ人が駆けこんできて、

「明智《あけち》の反乱である」

と、わめいた。

神父カーリオンはすぐ会堂からとびだし、低い塀《へい》ごしに空をみたとき、火があがっていた。夜があけきったころ、信長とその嫡子信忠《ちゃくしのぶただ》の死がつたえられた。

進行していた歴史が、このような形で突如停止した。

「このとき三河の君主（家康）は」

と、ローマ法王への報告書にある。

「京にのぼったとき、われわれの住居（会堂の裏にあった）に泊る予定であったが、しかし彼は都合あって近くの別な建物（商人茶屋四郎次郎の屋敷）に泊った。そしてそのあと堺《さかい》見物のために京を離れた。これが彼にとって幸運であった」

なるほどそうであろう。家康がもしあのまま京に滞在していれば、明智光秀の反乱にまきこまれ、主従もろとも死んでいたにちがいない。

堺見物を終えた家康とその一行は、京へもどるべく道をいそいだ。京で信長に対面し、礼をのべるのが目的であった。この日の早朝、当の信長父子がこの世から消滅してしまっていることを家康は知らない。

この大変事の日は、陽が昇るにつれて、例年にない暑さになった。家康は大坂から淀《よど》川ぞいの京街道をとり、馬をいそがせた。

——今日、京に入ります。

という旨《むね》を、信長（すでに死亡していたが）の側近に報《しら》せるべく年若で元気のいい本多平八郎を使者として先発させてある。平和な旅であった。京ではふたたび茶屋四郎次郎宅にとまるつもりであった。

ところが先発の本多平八郎が枚方《ひらかた》まできたとき、川上の京の方角から一騎、馬をあおって駆けくだってくる者があるのを見た。平八郎が近づくと、茶屋四郎次郎である。茶屋はツト馬を寄せ、

「本多殿、落ちつかれよ、大変事出来《しゆつたい》せり。世も早《はや》これまででござる」

と、この呉服商は、目の下をひきつらせ、声もかすれている。本多平八郎はこういう場合、落ちついた男であった。平八郎が本能寺における変報をきいたのは、このときである。

——世も早これまで。

と、茶屋四郎次郎がいったのもむりはない。かれは京における織田家御用の呉服商で、信長とその一族の宮廷服や衣装はこの茶屋がその一手で調製し、巨利を得ていた。かれにとって信長の死は自分の事業の崩壊であろう。

が、本多平八郎にすれば、信長の横死と光秀《みつひで》政権の出現におどろくよりも、自分の主人の家康をこの危険きわまりない地域からどのようにして落すかというほうが焦眉《しょうび》の急であった。京の占領者になった光秀は、当然ながら家康を捜索しているにちがいない。

ところが、家老数人をつれて一介の旅行者にすぎない家康は、渦のなかにうかぶ芥《あくた》のようなもので、なんの戦闘力もない。郷国の三河は、遠かった。途中、野伏《のぶし》が蜂起《ほうき》して、家康の命をねらい、光秀への功名にしようとするであろう。

——ともあれ、急を殿へ。

と、両人は駆けくだるうち、枚方の手前で家康一行に出会った。

「殿」

と、本多平八郎が何食わぬ顔で、家康に接近して行ったあたりは、三河者の食えぬところであった。

家康の横に、貴人がいる。家康はこの旅行中、ずっと甲斐《かい》の大名の穴山梅雪と同行していた。本多平八郎の奇妙さは、この変事を梅雪にきかせたくないことであった。わが主人さえよければいいという狭量な、しかしそれだけに強烈すぎる、さらにはときに他人への猜疑心《さいぎしん》と背中あわせになった忠誠心というものが、三河の精神習慣であった。この場合、変報は家康だけが知るべきものであった。それを梅雪に教えるべきかどうかは、家康が決めるべきことであると本多平八郎はおもっている。梅雪にも同時に伝えてしまえば、家康にとって危険なばあいもありうる。梅雪は、札つきの策謀家であり、どういう屈折した性根でひとの裏を搔《か》くかもしれず、事と次第ではこの織田家陥没という大政変につけ入って、家康を殺さぬともかぎらない。

平八郎は、そうおもった。平八郎個人は元来濶達《かったつ》な性格の男だったが、かれでさえその郷党集団に共通する思考法を、この大事にあたって採った。彼はしずかに家康に近づき、目顔でなにごとかを訴える様子をみせた。家康はすぐ覚《さと》り、梅雪にむかって、

「しばらくご無礼つかまつる」

と、馬を早めた。平八郎は自分の馬をすて家康の馬の口輪をとって、枝道に入った。田を五六枚すぎて小川のふちにさしかかったとき、家康は馬から降り、柿《かき》の木の根方にすわった。

「言わず語らずのうちに」

という気分で、家康の他の重臣《おとな》たちも家康のあとに従った。それぞれ下郎に馬を渡し、徒歩《かち》で枝道に入り、あとを追って小川までくると、飼い馴《な》らした犬のように家康のまわりにすわった。井伊《いい》直政《なおまさ》、榊原康政《さかきばらやすまさ》、石川数正、酒井忠次《ただつぐ》、大久保《おおくぼ》忠世《ただよ》の面々であった。それぞれ後世大名になり、その子孫は繁栄し、後世の史家は彼等をもって徳川家の柱石の臣としたが、街道にとり残された穴山梅雪とその従者からみれば、かれら三河者たちの行動ほど不愉快なものはない。

——三河の百姓侍めが。

と、甲斐武田家の一門であるかれはおもったが、同時に梅雪はかれなりの肚《はら》の色に合わせて、この事態に警戒した。

(京の信長が、家康に対し、わしを殺せといってきているのではないか)

ということであった。梅雪が、このときに三河人の奇怪な行動によって持たされた警戒心が、結局は梅雪自身を破滅させることになる。

家康は、小川へずり落ちそうになった。若い井伊直政が家康を抱きとめた。柳の架《はな》が家康の額をなぶっている。家康は無意識にそれをひきちぎり、わけもなく口に入れ、嚙《か》みくだいた。この男は、その生涯においてしばしば絶対面に出くわした。そのとき、元来冷静な性格のもちぬしとおもわれているこの男が、人変りしたほどに取り乱し、目も頭も晦乱《かいらん》して形相までかわった。そのことは家康の性格の奇妙さといわれた。かれは、幼児になった。駄々をこねた。

としか言いようのない錯乱を示したことが、その生涯で数度あったが、このときほどそれがはなはだしかったことはない。

——世も早これまで。

と、呉服商茶屋四郎次郎がいったが、この実感は家康において巨大であり、かれが営々と構築してきたこの世の作業が、すべてこの一瞬でがらがらと崩れ去ったようにおもった。

（もはや、道はない）

と、おもった。家康はすでに少壮の身で老熟した外貌《がいぼう》をもっていたし、げんに晩年老獪《ろうかい》といわれた。しかし人間の性格のふしぎさは、一筋や二筋の糸で織られているものではないらしい。家康の立場を考えると、かれは織田家の家来ではない。信長は彼のあるじではなく同盟者であった。それも苛烈《かれつ》なほどに彼に要求するところの多かった同盟者であった。かれはその信長の猜疑心のために、妻子まで処刑せねばならなかった。それでもなお、この戦国の世の離合集散常ならざる人心のなかにあって、二十年もという長期間、一度も信長を裏切ることなく同盟をまもりつづけた。そのほうが得であるため彼はそれを守ったというのは、信長が結果として中央を制したというそういう結果論からみた見方であろう。家康という男の意思の持続力には、損得の計算を越えたにぶい、しかし堅牢《けんろう》な情念というものがその性格の底にあるにちがいなかった。

さらにこの人物は、後世からみれば、結果として天下人になった。しかし若年からこの時期まで、この男は天下取りを目標にしてそこから逆算して自分の行動をきめたことは一度もなかったことだけはたしかであった。

家康は元来が自衛心のつよい性格で、かれは三河の郷国を守ることだけにその能力のかぎりをつくしてきた。三河を防衛するためにはその東隣の遠州を奪って遠州をもって武田からの防衛の最前線にしようとした。かれの願望のせい一杯に膨れたところが遠州征略ぐらいであり、信長から、

——駿河《するが》一国を三河殿に参らせる。

といわれたとき、なかば本気で（しかし半ばは巧妙な擬態で）それをいったん遠慮し

たが、この遠慮のほうはかれの存外、正真正銘の本心であり、さらにはこのときに擬態を示したのは、かれの本心とはべつに作動した自衛上の知恵才覚というべきものであったかもしれない。要するにこの男は、織田信長というこの辛辣《しんらつ》すぎる同盟の相手に対し、本心から畏服《いふく》し、頼っていた形跡が濃い。かれは元来が、自己を肥大化して空想することのできないたちで、自分の能力や勢力をつねに正確にしか計算できず、さらに計算をひろげて、自分の存立のために必要な数値を、信長の能力と勢力から借り出していた。それが、いま信長の死でにわかに外れたのである。

針ほどに小さな魚のむれが、川面《かわも》を刺すように泳いでいる。その水に、家康は右足を浸《つ》け、左足を股座《またぐら》に掻いこみ、

「死ぬ。——」

と、わめいていた。

すでに近畿《きんき》の諸街道は明智勢の手でおさえられているであろう。国へも帰れず、この上方《かみがた》の地で落人《おちゅうど》狩りの銹槍《さびやり》にかかるとすれば、ここで右大臣信長のあとを追って自害して果てるほうがましであった。

恥をとらんよりは、いそぎ都にのぼりて、知恩院に入り、腹切って織田殿と死を

共にせん、とのたまう。

と、家康の記録者は書いている。

「知恩院に入り」

と、家康が自分の死場所をその寺にしようとおもったのは、この東山山麓華頂山《ひがしやまさんろくかちょうざん》にある浄土宗の本山は、かれの家の宗旨の本寺であるからであった。浄土宗は鎌倉のころ法然によってひらかれたが、戦国期、その第二十五世の法統を嗣《つ》いで浄土宗中興の祖になった存牛《ぞんぎゅう》という知恩院門主は、家康から五代前の松平親忠《ちかただ》の五男で、草深い三河の山里から出て他宗派の妨害とたたかいつつ知恩院の地位を確立し、さらに後柏原天皇の崩御のときの十念の導師になるほどに一世の尊崇をうけ、日本仏教史上の人物になった。家康の松平氏という三河の土豪の家系から存牛上人《しょうにん》が出ているということは、容易なことではないであろう。余談をつづけると、この家系は存牛の出現以前から、宗旨は浄土宗であった。それもきわめて信仰心がつよく、存牛の祖父の信光などは三河の信光明寺《しんこうみょうじ》をたてた人物として知られているが、その本尊の蓮座《れんざ》のなかに、文明十三年七月二十二日の日付で、異様な熱気をこめた願文《がんもん》をおさめている。

「某《それがし》、仏界にうまれ、後《ご》を来世に願う。阿弥陀《あみだ》仏の大悲神力を蒙《こうむ》り、天下泰平国家安穏を守護せしめんと欲す。……（後略）」

と、以下熱っぽく来世を信仰しつつも、今生《こんじょう》にあっては天下国家に勢力を張りたい、と浄土思想からいえば多分に矛盾した欲深な情念を吐露している。この松平家系独特の情念は、信光の孫の存牛にもひきつがれた。存牛は京へのぼり、やがて天下の浄土宗八千の寺院をひきいる門主になり、さらに叡山《えいざん》の天台宗と教勢をあらそってことごとく勝つという僧にはめずらしい覇気《はき》を示した。

「知恩院に入って死ぬ」

とわめいた家康には、遠祖信光の浄土欣求《ごんぐ》の信仰と、存牛上人が中興した知恩院への親近感が、多少は入りまじっていたであろう。

ともあれ、家康はとりみだしている。かれは家系がそうであるだけにごく自然なたちでの念仏信者で、戦陣には「欣求浄土」の文字をもって旗ジルシとし、その晩年、日課念仏の行《ぎょう》を怠らなかったが、かれのまわりの三河人たちも、なにしろ三河一向一《いっ》揆《き》をおこした国柄だけに浄土を欣求する心はつよく、家康が口走った「死」というものについては、信長とその配下やあるいは後世の感覚とはだいぶちがっていた。浄土信仰にあっては死は美への入り口であり、あこがれでさえあった。

人々は、家康を制止しなかった。

（この君は、これほどまで織田殿に対し、二なき心をもっておられたのか）

と、その見当が中《あた》っているにせよいないにせよ、かれらはこの時代の三河者であるだけに、そのことをその急所で感動した。さらにいえば、いま織田政権が消滅し、家康主従は不幸にも旅の空の下で漂うている。この絶望的な事態から脱出する方法は、京へゆき、知恩院という浄土にもっとも近い場所へ駆けあがって自害し、浄土へまいることが、おなじ死ぬなら損得勘定からいってもっとも得であった。その死が得であるということに共感しうるには、かれら家康主従とおなじ浄土信仰をもっていなければわからない。

一決した。

奇妙な共感であった。主従は一ツ心でおなじ心情で昂《たかぶ》りつつ、街道にもどってきた。家康をはじめどの男の顔も、両眼がすわり、狐《きつね》に憑《つ》かれたようにひきつっていた。

（この三河者ら、なにかたくらんだな）

と、穴山梅雪がおもったのもむりはない。

しかも、家康からきかされたことは、天地を晦冥《かいめい》させるような一大変報であった。信長が死に、京もその周辺（このあたりもそうだが）も、明智軍が占領してしまっているという。梅雪は当然、この巨大な危険に対して心を薄刃のようにするどくした。どう逃げるかであった。甲州までは遠い。途中、土匪《どひ》の襲撃に遭《あ》うであろうし、その郷国の甲州じたいが、この変報が入ってどう動揺するかわからない。

(第一、この家康主従が、自分にとって安全であるかどうか)

をおもうと、目がくらむほどの不安をおぼえる。梅雪は、家康の人間について多くを知らないし、その配下の三河衆も信用できない。かれら家康主従が、自分より早く変報を耳にしていながら、同行者である自分にすぐそれを言わず、かれらのみでかたまり、別な場所で協議し、いまやっと自分にその重大情報を明かすということじたい、三河者の信用できないところであるとおもった。

「で、貴殿はどうなさるのです」

と、穴山梅雪は両眼をわざと細め、表情だけはゆったりと微笑しながら、きいた。が、心のほうはよほどそぞろであったらしく、右手で意味もなく左手をつかみ、しかも右手の親指の爪《つめ》を左手の甲に突きたて、血をにじませていた。

家康の奇妙さは、このときすでに激情が去っていたことである。

「国へ帰ります」

と、家康はおだやかにいった。家康の性格のおかしさも油断ならなさも、そういうところにあった。かれは自衛のための構造計算を平素精緻《せいち》にしておくくせに、それがいったんくずれると人より数倍狼狽《うろた》え、しかもその彼を破滅的な行動に追いやる激情が、すぐ沈静してしまうのである。家康のこのふしぎな性格についてよく知っている酒井忠次などは、

(——またか)

とおもい、同時に酒井忠次はどうやらこれで知恩院の石段をかけのぼって腹を切らずとも済んだとおもった。若い井伊直政などは、家康のこの豹変《ひようへん》が理解できず、いぶかしげな顔で、他の重臣《おとな》たちを見た。この井伊直政の燻《くすぶ》った表情を、穴山梅雪はみた。

——なにか、かれらは隠している。

と、判断した。

本多平八郎忠勝《ただかつ》は、若年ながら家康のこの癖《へき》について多少知りはじめていたため、井伊直政ほどに不審の表情はせず、鉄色の皮膚から懸命に表情を消そうと努力している。

この場合、役に立ったのは、故信長から、

「竹」

とよばれて寵用《ちようよう》されていた長谷川秀一《ひでかず》である。この年の四月、家康が甲州から凱旋《がいせん》する信長を自領に招待したとき、接待の方法に暗い家康は、この長谷川秀一から知恵

を借りた。秀一は信長に近侍し、その秘書官のような役目であったことはすでに触れた。さらに故信長は家康への馳走《ちそう》としてこの上方見物をさせるにあたり、その案内役としてこの長谷川秀一をつけたのである。秀一は、この変報を知って、骨が鳴るほどにふるえていた。

「私は、すぐさま京へのぼります」

と、秀一はいった。とりみだしていた。家康はうなずき、

——自分もじつはさきほどそれを思った。

と、知恩院の一件を話した。しかし自分は京へゆくことを思いなおした、と家康はいう。行って何になるであろう。……

「死ぬことはなんとしても無意味である。自分はなんとしても三河へ帰り、軍勢を催し、光秀と決戦して右大臣家（信長）のお恨みを晴らしたい。それが、二十年のご厚《こう》誼《ぎ》にむくい奉《たてまつ》るみちである」

という旨《むね》のことをいった。

「復讐《ふくしゅう》」

と、家康はこのとき言い、はじめて自分の活路をそこに見出《みいだ》した。

ついでながら羽柴秀吉は京から遠い備中《びっちゅう》高松（岡山市西北八キロ）にあり、毛利勢と

にらみあっていた。秀吉はその地理的関係から家康が知ったより一日半遅くこの変報に接した。そのあと、秀吉はかれの天下取りの基礎になった「中国大返《おおがえ》し」という電撃的な復讐作戦をはじめるのだが、秀吉は地理的に遠かったとはいえ、織田政権のどの軍団長よりも有利であったのは、かれは織田家で最大の軍団をひきいていたことであった。

家康はたれよりも早く事件を知りながら、昼近い京街道で漂っている。

「復讐」

というこの新鮮な思いつきをもっとも機敏に思いついたのは、中国路にいる秀吉であった。織田家の他の軍団長である滝川一益《かずます》は関東にあり、丹羽長秀《にわながひで》は大坂にいたが、この両人の場合、それを思いついた形跡はかぼそい。ただ北陸にいる柴田《しばた》勝家はすぐ思いたちはしたが、しかしその行動は鈍重であった。ほかに信長の息子たちがいるが、いずれも狼狽《ろうばい》し、他を恃《たの》むのみで、みずから事をなそうとはしていない。

いずれにせよ、家康のこの場の状態がたれよりも哀れであった。復讐を思い立ったものの、それはやっとその言葉を思いつくことによって自分を絶望から救い出そうとし、気力を鼓舞してみただけで、さしあたってこの言葉そのものに重い意味はない。それよりもこの危険な上方地域からどう脱出するかである。

「私が、先導しましょう」

と、たのもしげにいってくれたのは、長谷川秀一であった。かれは故信長のもとで、

「中次《もうしつぎ》」

とよばれる仕事をしていた。地方々々の大名や豪族、社寺の者などが、信長に本領安堵《あんど》をしてもらいたいため、京に集まってくる。それら陳情者たちを長谷川秀一は応接した。かれらが持ちこんでくる用件を信長に取り次ぎ、場合によっては彼等の立場になってやって便宜をはからってやる。そういうことで、彼等のあいだで、長谷川秀一に対して恩に着ている者が多い。

「とくに、京の付近、河内《かわち》、大和、伊賀《いが》、伊勢《いせ》あたりの者で私の中次をうけた者が多うござる。在所々々でそれらの者を頼めば、よもやそむくことはありますまい」

と、その口ぶり、たのもしげであった。

——では、道すじは長谷川どのにおまかせしよう。

と、家康はいった。

「穴山どの、ぜひご同行なされ候《そうら》え」

家康は、むろんすすめた。徳川と穴山、運を一つにしてともどもに奔《はし》り、道をひらき、土匪《けち》を蹴散らして遮二無二《しゃにむに》伊勢海岸まで走り出ることができれば、あとは船の一

艘《そう》や二艘、なんとでもなるでありましょう、と家康が言い、言葉をつくしてすすめたが、穴山梅雪の表情がすぐれない。

(家康めは、このどさくさにまぎれてわしを殺すつもりであろう)

と、梅雪はおもった。

なるほど、梅雪は故信長から甲州旧武田領のうち巨摩《こま》郡をもらった。家康がこの上方脱出行のあいだに梅雪を亡《な》き者にすればその郡一つは手に入るかもしれない。

——梅雪、多知ノ男ニテ。

と、この当時いわれていたように、故武田信玄の族党のなかでは知恵があり、むしろ知恵誇りして信玄の相続者の勝頼と事ごとに言いあらそいをし、ついにはその知恵を、勝頼を裏切ることに使い、家康を仲介者として織田方に寝返り、巨摩郡一つをもらった梅雪はそういう自分の性格から家康を察し、危険を感じた。

が、この甲州人は家康についてもっと知識をもつべきであった。家康という男はその不透明な見かけのわりには意外なところがあり、それは年少のころから一度も人を謀殺したことがないということであった。家康はこの時期よりあともそういう所行はない。梅雪は、このとき不幸な判断をした。

——梅雪、疑い思うところありけん。

と、古記にいう。

「別に存念もござれば」

と、梅雪はかたくなに言い、この場で家康一行と別れた。梅雪のこの行動は、おそらく三河人どものぶきみなばかりの団結の様子をみて、彼等が信じられなくなったのであろう。梅雪は道をいそぎ、さほどもゆかぬうち、京の南郊の宇治をすぎ、田原というところまできたとき、明智方の警戒線にかかり、

――この人物は徳川殿に相違ない。

と見られ、寄ってたかって打ちかかられ、その場で首にされてしまった。梅雪がもし鈍重で人を信じうる性格だったらどうであろう。梅雪は家康に従ったにちがいなく、家康は元来、武田家を畏敬《いけい》するところが深かったから、のちのちまで穴山家を厚遇したにちがいない。梅雪の最期《さいご》はみずからの性格がまねいたところともいえるが、不運でもあった。

それ以上に不運であったのは、明智光秀であったであろう。あたらしく京都のぬしになった光秀は、家康のゆくえを躍起になって捜索していた。家康は殺すべきであった。家康が生きていればかならず自分の敵手にまわることを光秀は知っているし、それに家康の東海三国というのは、家康を殺すことによって即座に崩壊する。家康には、

成人した子もいなければ、あとを相続できる弟も存在しないのである。

そこへ、宇治の田原で家康が首になったということを聞き、喜悦した。が、首がきて実検してみると、穴山梅雪であった。


徳川殿をば討ちもらし、捨ておきても害なき梅雪をば討つこと、わが命《めい》の拙《つたな》さよ。


と、光秀が梅雪の首をみて悔んだというが、梅雪にすればあれほど用心してしかも討たれ、討たれてなお敵将から無益の首と言いすてられた身のあほうらしさは、名状しがたいものであった。

家康は、逃げつつある。

かれが上方脱出への出発点とした淀川畔の枚方《ひらかた》（北河内）という土地は大坂から京へのちょうど中間にあたる。この川港から家康らは真東へ走った。田園のなかを突っきり、やがて山中に入ると、日が傾きはじめた。山坂を駆けのぼり駆けくだり、山間の尊延寺村という里をへたときは、陽が暮れた。あとは足さぐりで歩き、坂がどうやら東へくだっていると気づいたときは山城国相楽《そうらく》郡に入っていた。この地方の山田荘という字《あざ》に入って人家の灯を見たときは、深夜であった。なにしろこの途中、村人か木樵《きこり》しか通らぬ道で、土地々々で道案内の者をやといつつ行った。それらには茶屋四郎次郎が、銀をあたえて懐柔した。茶屋は商人だけにこの役にはうってつけであった。かれはこの脱出行で家康と艱難《かんなん》を共にしたことから縁がふかくなり、のち家康の京における間諜《かんちょう》になり、関ヶ原前夜、京における情報あつめの仕事に任じ、さらに後年、それらの功によって江戸幕府の御用呉服師になり、巨富を得た。

この道中、前途を警戒しつつ猛犬のように道を先駆したのは、徳川家でももっとも勇侠《ゆうきょう》な男とされた本多平八郎であった。この若者は、

「蜻蛉《とんぼ》切り」

という名のついた自慢の長槍《ながやり》をキラキラと立て凄《すご》ませつつすすんだ。

さらにまた行路の安全という、もっとも大事な政略面をうけもった者は、

「竹」

であった。この長谷川秀一の働きはきわだっていた。竹としても、故信長が、上方見物中の家康の案内人として命じてくれたおかげで、あの修羅場の京に不在で、本能寺の火中で死ぬべき一命を拾った。この信長が磨きあげた秘書役は、のち秀吉に見こまれ、その側近衆になり、近江《おうみ》や越前で十万石の大名にしてもらったが、秀吉よりも早く死に、子がなかったために跡は絶えた。かれの父は、嘉竹《かちく》とよばれて織田家の茶

坊主《ぼうず》であった。

もしこの家康の脱出に、

「竹」

というこの人柄の温和な才覚人がいなかったら、きわめて困難な状態になっていたかもしれない。

彼は、その顔を利用した。まず彼はかねて懇意の大和の豪族で十市常陸介《とおちひたちのすけ》という男に使者を送り、家康が一行の中にいることはいわず、

――自分は三河の徳川殿までこの変報を知らせにゆく。どうか、道々を保護してもらいたい。

と、たのんだ。十市、筒井、箸尾《はしお》などといった大和豪族は、他国とちがい、奈良の社寺領の俗務を請負っていていつのほどか武家化した連中で、家系が古く、その姻戚《いんせき》は隣接地の山城国（京都府南部）や伊賀国（三重県伊賀地方）などにも多く、十市からの依頼があれば、十市の顔を立てて保護してくれる家が多い。

山城国相楽郡山田でも、そういう土豪の屋敷にとまった。が、なにぶん大政変の直後であり、宿主《やどぬし》がどういう変心をおこすかわからないため、本多平八郎は槍を抱いて終夜起きていた。

翌三日は、木津川の渓流をわたらねばならなかった。十市の使いの者が柴舟《しば》二艘を手に入れてくれたおかげで、渡ることができた。一行が渡りおわると、本多平八郎が、槍を逆さにもち、石突《いしづき》をもって舟をたたきこわした。不必要なまでの用心ぶかさである。あとは、急峻《きゅうしゅん》の山道であった。

その後、間道をつたって石原という山里にきたとき、にわかに草木が動き、百人ばかりの、武装土民が道の前後にあらわれたが、一同、息をあわせ、面《おもて》もふらず一気に突撃したため、一揆《いっき》はその勢いにおそれて散ってしまった。

このあと、かれらは伊賀境の山中に入り、さらに甲賀の山中を抜けたが、この伊賀・甲賀では家康は安全に通過することができた。

本来、他の者ならこの伊賀で落命するところだったであろう。伊賀は中世を通じて難国といわれ、小さな地侍が村々にいて槍を研ぎ、他国に事あれば戦かせぎに出かけ、しかもかれらは国中では団結がつよく、戦国期を通じて地侍連合のような組織ができ、その組織で一国を自治でおさめ、他から国司や大名が入ってくるのをふせいできた。信長はそういう伊賀の人情を憎み、その晩年、伊賀に大軍を入れ、村々や山々に籠《こも》るそれらの連中をいちいちすりつぶすようにして虐殺《ぎゃくさつ》し、国中に死体の山をきずいてようやく国中を織田政権統治下に置いた。

そのとき、織田勢から追われた伊賀者の多くが三河へ逃げ、家康の保護をもとめた。このとき家康は織田家への遠慮もあり、

——見て見ぬふりをしよう。

と、この亡命者たちの保護についていっさいをかれの部将の一人である服部《はっとり》半蔵正成にまかせた。

服部半蔵は、いわゆる徳川十六将のなかにかぞえられ、鬼半蔵と異名された。天文十二年のうまれだから、家康より一歳下である。

——服部は、伊賀からきた。

と、家中《かちゅう》ではいわれているが、この半蔵の代にきたのではなく、半蔵の父の服部石《いわ》見守《みのかみ》保長のときに三河に流れてきて、家康の祖父の清康に仕えた。それも、京から流れてきた。

「石見守」

というような、家康の祖父のころの松平氏の家来としては仰々《ぎょうぎょう》しすぎる官名がついているのは、この保長がかつては京の足利将軍家（義晴《よしはる》）の側近で、京侍だったからである。室町幕府は衰弱していたとはいえ、幕臣の官位だけは高い。ただし、官位だけで、将軍からは禄《ろく》は貰《もら》っていない幕臣で、保長は窮乏のあまり、田舎の新興勢力の

松平氏をたよって流れて行ったのにちがいない。

出自《しゅつじ》は、伊賀である。

伊賀では源平時代から服部姓の武士が多く最初は平氏に仕えて重んぜられ、あと源氏に仕えた。戦国期になると、この姓の者が族党を組み、伊賀北部の村々に居住して他勢力と対抗していたが、服部保長の家はその本家であったから足利将軍家に出仕したにちがいない。三河に流れてきてからはよく働き、その子の半蔵にいたっては槍も強く戦場の進退もたくみで、家康が年少のころから参加したすべての合戦に半蔵は従軍し、一戦ごと武功をたてた。服部家は徳川譜代とはいえ、遠く伊賀からきたということは伊賀連中も知っており、半蔵を頼ってその従士になる者が多かった。伊賀者は他国の情勢に通じ、戦場の諜報《ちようほう》にも長じ、便利なことが多かった。

例の織田信長の伊賀攻撃のとき、それをのがれて多数の伊賀者が家康をたよったが、その亡命者を家康はこの服部半蔵にあずけた。

「伊賀同心」

といわれ、戦場諜報や、戦場の放火、敵の後方攪乱《かくらん》に任じた。同心というのは、「徳川直属の足軽で、ある部将の管理下にある者」というほどの意味である。

そういうことがあるため、伊賀の地侍たちは、

「徳川殿には、伊賀者は恩義がある」

ということで、いま家康が上方を脱出して伊賀路まで潜行してきたことを知ると、この連中は、

「この伊賀までのがれて来られた以上は、もはや安心とおぼしめせ」

と口々に言い、村々に使いを走らせて人数をあつめた。むろん、侍といえるような連中ではなく、平素はわずかな畑を耕したり、他の農家にやとわれたりする農夫で、戦いがあると野伏のたぐいになって野稼《のかせ》ぎしたり、どちらか一方に傭《やと》われて敵陣を荒しまわったりする連中ばかりであった。そういう手合いが二百人ほどあつまってきたとき、家康も内心おどろき、

（一体、この連中を信じていいものか）

と、おもったが、しかし酒井忠次や石川数正がうまく懐柔した。

「いずれ、服部半蔵を通じ、お召し出しがあるだろう」

と、約束した。この約束は、家康は帰国後、すぐ履行した。徳川家の正規の呼称として、

「伊賀者」

とよばれるグループがそれで、後年幕府が安定すると、かれらの使いみちがないた

め、江戸城内および幕府所管の空屋敷の番人にした。ついでながらこの徳川家臣団のなかでの最下層のこのグループが、寛政年間、大名や旗本のあいだで系図をつくることが流行したとき、

——自分たち伊賀者の先祖は、武士のなかでも特殊な軍事技術をもっていた。

ということを書き物にしたりして、それによって彼等の仲間うちで伝承されてきた伊賀流忍びの術についての内容やら怪奇譚《かいきたん》やらが、世間に知られるようになった。

家康はこの連中のおかげで、ぶじ伊賀・伊勢（ともに三重県）を通過し、伊勢の海岸まで駆け出ることができた。家康は終生、

「伊賀越えのときは」

と、このときの苦難を語ったが、ともかく道もない山を駆けたりして伊勢海岸にたどりつくまでの四昼夜というものは、家康はほとんどねむっていない。伊勢では、白《しろ》子《こ》ノ浦という当時漁港だった浜に着いた。この白子に角屋という回漕《かいそう》問屋があり、そこで大船を借りだす交渉を茶屋四郎次郎がした。商人同士だけに、この商談はすぐまとまった。考えてみると、家康ほど人運《ひとうん》のいい男もまれであろう。かれのこの冒険には、かれのまわりの者がそれぞれ得手《えて》々々によって機能的にうごいた。竹もそうであり、商人の茶屋もそれなりに働く。血路をひらくのは武辺者の本多平八郎がひきうけ、

山賊の鎮撫《ちんぶ》には伊賀者たちが働く、といったふうに、一つ機械《からくり》が作動するようにその部品々々がみごとに回転した。

角屋の大船が伊勢海の沖にむかって漕《こ》ぎだしたとき、

「日向《ひゅうが》（明智光秀）は、山国の国持《くにもち》ゆえ、さいわいにも水軍をもたぬ」

と、家康は遠ざかってゆく伊勢の山々を見ながら、よほど安堵《あんど》したらしく、

「それでたすかった」

と、子供のような声をあげた。

じつのところ、伊勢の鳥羽《とば》から熊野《くまの》海岸にかけての浦々には水軍の九鬼《くき》氏が海上権をにぎっており、早くから信長の誘いで織田家に所属していたが、にわかにクーデターをおこした光秀にはそれを味方に組み入れるまでの余裕はなかった。

「――梅雪入道は、ぶじだったろうか」

と、船上で、家康はいった。

家康は、あの京都南郊における梅雪の不幸な最期《さいご》を、むろんこのとき知るよしもない。梅雪は、思いあわせてみると、家康の替え玉として死ぬためにこの上方旅行についてきたようなものであった。その意味では、梅雪入道でさえ、家康のこの脱出行のなかで、その意志とはかかわりなく機能的に働いたことになる。

船が知多《ちた》半島の先端をまわって三河湾に入ると、知多と渥美《あつみ》のふたつの半島に搔《か》い抱かれたこの内海はすでに家康にとって自分の浴槽といっていい領海であった。家康の船は、しきりに狼煙《のろし》をあげた。殿はぶじであった、という旨《むね》を、陸地にしらせるつもりであった。

三河岡崎でも、遠州浜松城でも、すでに上方の変報の風聞が入っており、動揺していた。

——上方へ押し出して殿をお救い申しあげよう。

という者もあれば、一方、家康の安危を知るため多数の諜者《ちょうじゃ》が上方へ出発していた。上方の事情を知るには、海上を見張ることもひとつの方法であった。商船をおさえ、船頭から風聞をきくのである。家康の家臣団は、どういう大名の家臣団よりもこういう場合、活動的であった。領内に入る旅人という旅人は、街道の要所々々で検問され、上方事情についての洗いざらいを喋《しゃべ》らされた。三河者の関心のただ一点は、信長や織田家の他の諸将がどうなったかというよりも、家康がぶじであるかどうかということだけであった。

知多半島の東の沖に、佐久《さく》島という漁村三つばかりの島がある。

家康の船がそこを通るとき、島影から一艘《そう》の早船がすすんできた。

「あれは、永井伝八郎かもしれない」

と、船楼から海面をながめていた家康はいったが、他の者はどうのびあがっても豆粒ほどのその人影がよくみえず、まして目鼻まではわからない。しかし近づくにつれ、それが伝八郎であることがあきらかになった。

酒井忠次は家康が言いあてたことがふしぎでならず、しかしちょっとばかにしたような顔で、「殿は左様か、あの伝八郎を夜伽童《よとぎわらべ》になされたことがござるのか」

と、きいた。寝所で愛すると、たがいの心が雲間でさえ通いあうという。それにしても忠次は無礼であろう。この徳川家譜代の老臣で家康にとって叔母婿《むこ》になる忠次は、かれの讒言《ざんげん》によっておこった例の信康《のぶやす》の詰腹《つめばら》事件ののちはさすがに首尾悪くおもい、家康に対しても以前のように不遜《ふそん》な態度をとらなくなったが、それでもときにそれが出る。このときも、そうであった。

(ばかな男だ)

と、家康は忠次の肥《ふと》った顔を見、やがて視線を渥美沖にうつし、眉《まゆ》を潮風になぶらせた。家康は、話題をそらすために、

「腹がへったな」

と、べつに空腹でもないのに、つぶやいた。じつをいうと、永井伝八郎は、故信康の稚児《ちご》だった男なのである。

家康はこの場合、

——永井伝八郎は、わしが伽をさせたのではない、死んだ信康があれを可愛《かわい》がっていたのだ。

と、そういえばすむ。座談としてはそれで完結するが、しかしそれを言えば、あらたな政治的事態が出来《しゅったい》する。言えば、酒井忠次の想《おも》いはどうであろう。信康が詰腹を切らされたのは、この忠次が信長に讒訴《ざんそ》したからであった。が、家康はその後もそれをずっと不問に付した。

いまここで、家康が、

「永井伝八郎は信康が可愛がっていた。いわば信康の形見のような男ゆえ、わしも目にかけている。平素、目にかけているから、目鼻のみえぬこういう遠くからでも、あれは伝八郎だということがわかるのだ」

と言ってしまえば、酒井忠次はおそらく、

(殿はまだわしをお恨みであるのか)

と、そこへ邪推し、邪推がしだいにひろがって、ついには、(この殿に仕えていても、こう恨みっぽくおわしては、将来《ゆくすえ》、どういう復讐《ふくしゅう》をうけるかわからない。いっそ、いまのうちに反逆するにしかず)

と、おもうにちがいない。摂津伊丹《いたみ》城で信長に反逆した荒木村重《むらしげ》も、このたび本能寺の凶変をおこした明智光秀も、もとはといえばそういう疑念が核になって想像をふくらませ、ついにはおのれの滅亡を幻想するようになり、やがては彼等自身の想像がつくりあげた絶体絶命の窮地から自分を救出させるには、信長を殺す以外にないとおもうにいたった。村重や光秀からすれば、反逆は正当防衛であったであろう。殺さねば、いずれは殺されるのである。家康からみても、あの両人の心情は十分察することができる。信長は、そういう大将であった。信長はかつて酒井忠次の讒言を信じ、家康にその子と妻を殺させた。それほどの目に遭った家康こそ反逆すべきであり、げんにあの直後、信長は家康の動静をこまかく観察していたにちがいない。が、家康は強《きょう》靱《じん》な筋肉質をもった自己防衛上の意志計算力をそなえていた。家康は、信長という危険な存在に対してすぐれた心理学者のようにふるまい、信長の心理が危険な傾斜をおこさぬよう、そのために必要なあらゆることをした。信長への尊敬心の持続については以前以上に気をつかい、以前以上にそれを表現した。信長に対する同盟者としての忠実さについても同様であった。徳川軍団は、本宗《ほんそう》の織田軍団よりも戦場でよくはたらき、つねに一戦場における戦死者の数も多かった。信長が武田氏をほろぼして東海道を凱旋《がいせん》旅行するときの家康の気のつかいようは、信長を感動させた。本来なら、信長も、いま目の前にいる老臣の酒井忠次も、家康にとってはわが子の仇《かたき》であったが、それを仇であるとおもったときには自分は自滅するということを家康は驚嘆すべき計算力と意志力をもって知っており、片鱗《へんりん》もそう思わないようにしていた。片鱗も――というのは、片鱗でもそうおもえば、人の心というのは感応して酒井忠次にもひびく。忠次はすぐさま、明智光秀になるにちがいない。忠次も有能な男であり、光秀にいたっては天下の偉材であった。そういう男であればあるほど、そういう感応力が高く、感応すればじっとしていることはしない。家康の身にも、本能寺ノ変はおこりうることであった。

（一面、片鱗だに思わねば、信長にとって光秀は宝をもちこんできてくれるよき家来でありつづけただろう。酒井忠次もおなじだ）

と、家康はおもっている。げんに酒井忠次とその酒井家は、家康やその後の徳川家に対して必要かつ十分な忠誠心を持続しつづけた。

家康という人物は、決して自分自身を自由で気随な状態において解放してみたことはないようであった。人のあるじというものほど本来、不自由なものはないということを、この男は年少のころから知っており、自分をそう規制してしまっているのにちがいなかった。

かれは、永井伝八郎という若者を、ひそかに他の家来以上に愛している。

——あれは、信康の形見だ。

とおもえば、心の内側が湿ってくるような思いまでするのだが、しかしこの場合、

——伝八郎というのは、そうだ。

ということさえ、家康は口に出すことを自分に禁じているほど、かれは自分の自由を制限していた。彼によると、人のあるじというのは、どうやらそういうものであるらしい。

永井伝八郎というのは、いま家康の船がむかっている大浜という漁村の住人であった。大浜は矢作川《やはぎ》（家康の当時の）の河口にある海港で、むかしから人が多く居住している。風俗は岡崎よりはるかに鄙《ひな》びていたが、男女間の風儀はやや淫靡《いんび》であるかもしれない。真夏、一群の男女がおどりだすと、踊りは一群々々とふえて行って、一郷各村が歌舞に酔い狂うといった風習がある。

家康の子の故信康が十七歳の天正四年、その夏のある日もこのようなことがあった。

はじめは子供の群れが踊りだしたが、やがて娘がまじり、若衆が踊りはじめ、ついには山伏や僧までも踊りだして、それが群れをなして、

——岡崎へ参ろうず、参ろうず。

と、唄《うた》いながら、岡崎城下をめざした。

やがて岡崎の城下が踊りの渦でつつまれたが、そのとき城内から信康とその小姓たちも出てきて、踊った。人々はよろこび、

ほいな、岡崎さまじゃ

ほいな、岡崎さまじゃ

というだけの単調な歌詞をくりかえしつつ手や足の拍子が激しくなったが、いつのまにか辻《つじ》に太鼓櫓《やぐら》が組みあがり、そこで美童がひとり、太鼓をたたきはじめた。その撥《ばち》のさばき、身のこなし、たたく音色がまことに妙で、信康は魅入られたようになり、

「あれは、たれが子ぞ、たれが子ぞ」

と問ううち、側近のなかで声があり、あれは大浜の郷士長田《おさだ》平右衛門という者の子にて候《そうろう》、と教えた。

この長田姓というのは尾張《おわり》や三河に多い。源頼朝《よりとも》の父の義朝《よしとも》が平治の乱にやぶれ、東国めざして落ちてゆく途中、尾張知多郡の内海《うつみ》という在所にいる長田忠致という地

頭をたより、その屋敷に泊ったところ、長田が変心して義朝を殺し、平氏から恩賞をうけた。

——姓だけが、気に入らない。

と、信康がいったのは、徳川家は家康の代で「源氏」を公称したからであった。源氏にとってオサダという名ほど不吉なものはない。

信康は家康のゆるしを得てこの伝八郎を召し出した。元来、伝八郎の父の長田平右衛門は大浜の郷士とはいえ、徳川家に属していたから、厳密には伝八郎の代で郷士身分からぬけだし、直参身分になったといっていい。このとき、長田の姓を変えさせ、永井と名乗らせた。

伝八郎は物の役に立つ男で、信康の死後は家康の馬廻役《うままわりやく》になり、後年、家康が小牧・長久手《ながくて》で秀吉と大会戦を演じたとき、伝八郎はまっさきを駆け、敵中ふかく槍《やり》を入れ、秀吉の有力な部将である池田勝入斎《しょうにゅうさい》の首を挙げた。この池田勝入斎の子が、輝政《てるまさ》である。この勝入斎・輝政父子の家系は徳川期、備前岡山三十一万五千石の池田家と因州鳥取三十五万五千石の池田家になってゆく。その輝政ははじめ豊臣政権下の大名であったが、のち関ヶ原前後の家康の大名懐柔工作によって家康の娘婿になった。

その婚礼のあと、輝政が、

「私の父の勝入斎を討ちとって首を挙げた永井伝八郎というのは、いまどれほどの身上《しんしょう》でござるか」

と、家康の側近にきくと、五千石に候、と家康側近が答えた。輝政はにわかに不愉快そうな顔になり、

「わが父にて候勝入《しょうにゅう》が首の価《あたい》は、五千石とは卑《いや》しゅう候ものかな」

といったので、すぐ徳川家では永井伝八郎を万石以上の大名にした、という逸話がある。池田輝政が家康の娘婿になったのは文禄《ぶんろく》三年で、永井伝八郎はたしかにまだ大名にはなっていない。その後二十余年たってから常陸《ひたち》笠間で三万二千石を領した。ついでながらこの家系はのち京の南郊の淀《よど》城主になり、十万石という大封を領し、さらに数軒にわかれ、大和新庄で一万石、美濃《みの》加納で三万六千石、摂津高槻《たかつき》で三万六千石などの永井家ができた。

その永井伝八郎が、三梃櫓《ちょうろ》の早船でやってくる。伝八郎はみずから櫓の一梃を漕《こ》いでいるが、その腰の切りようは、他の櫓にとりついている漁師たちよりもみごとであった。やがて伝八郎は自分の船をすて、波を切って進んでいる家康の船の舷《ふなばた》に手足をかけると、器用にとび移り、登ってきた。かれは、家康の無事を知った。知るとすぐ舳《へさき》へ立ち、陣貝を唇にあて、浜にむかってぼうぼうと吹き鳴らした。家

康がぶじであったことを知らせているのである。

（伝八郎の甲斐《かい》々々しさよ）

と、家康は船楼からこれを見て感心した。

やがて伝八郎の陣貝によって浜のあたりに人が群れはじめ、走りさわぐ様子が、家康の目によくみえた。

（——帰った）

と、家康は汗が一時にふきだすおもいでそのことを思い、この一望の三河湾海岸の風景を見た。

が、これからなにをするかであった。進襲して光秀を討つべきか、それとも守勢にまわり、光秀をたれかに討たせて、自分は東海方面の地盤をひろげ、それを強靱にすることに専念するか、そのどちらかであった。

家康は船上でなかばねむりつつ、それのみを考えてきた。

——光秀は早々にほろぶ。

ということでは、家康の観測はゆるがない。光秀は諸大名に対しなんの根まわしもしていないことは家康にも想像がつく。本能寺襲撃はどうやら発作的衝動であり、衝動だけでは信長は殺せても天下はとれない。光秀は、京にいる。姻戚《いんせき》細川氏（丹後）

や筒井氏（大和）ぐらいは味方につくかもしれないが、勝目はない。いかに戦国の世でも、白昼公然たる主殺《あるじ》しは天下を沸かす倫理的課題であり、織田家の諸将のうち天下に野心をもつ者は、光秀を逆臣として討伐目標にするであろう。光秀は、他人に天下をとらせるために信長を殺した。織田家の諸将のうち、大軍をもっている者は中国筋にいる羽柴秀吉と、北陸にいる柴田勝家だが、このいずれかが光秀を斃《たお》す。斃したあと、斃しそこねた者がまた京をねらい、そこに深刻な争闘がおこって、天下は大いにみだれるであろう。むろん、家康がまっさきに復讐の旗じるしをかかげ、光秀を討滅してもよいのだが、家康の性格上、それは危険なようにおもえた。

——いずれ、物事が煮えてから。

というところが、家康にはある。やがておこるであろう織田家の諸将間の権力闘争が泥沼の状態になり、強者たちがへとへとになってから立ちあがっても遅くはなかった。

（かといって、光秀討伐軍をおこすだけはおこさないと、後日、口幅《くちはば》が小さくなる）

ともおもっている。天下に対する発言権が小さくなるということであった。

家康は大浜に上陸すると、とりあえず浜松城に対し動員令を出し、その夜はこの大浜の旧家である伝八郎の永井家に泊った。

永井家はこの辺一帯に田地をもち、武家というより本質は豪農であり、徳川期でいえば庄屋階級といったふうの屋敷で、松林のなかに高塀《たかべい》をめぐらした大きな屋敷がある。家康はその奥の一室に寝た。なにかの拍子に磯《いそ》のにおいが吹きこんできて、まだ船の上でゆられている思いがした。家康は、船がきらいであった。伊勢海を突っきるときしたたかに酔ったが、考えてみると、家康はこの半生、安眠できるというような日はなく、つねに船に乗りつづけてきたようなものであった。

甲信併《へい》呑《どん》

「ともあれ、旗を京へ」

と、家康はこの時期、岡崎城でもわめき、浜松城でも怒気を発し、それによってこの大政変後、ともすれば沈みがちな士卒の心を沸騰《ふっとう》させるべく懸命になった。復讐《ふくしゅう》という、この血なまぐさい感情ほど、人の心を掻《か》きたてるものはない。

「いそぎ京へのぼり、光秀を踏みつぶし、右大臣家（信長）の御怨《うら》みを鎮《しず》めまいらすべし」

が、家康の本心であったかどうか。

「京へ旗をすすめる」

といっても、家康はその前半生で、それを夢想したことはあったにせよ、この徹底した現実主義者は、それを自分の現実の計画として考えたことも布石したこともなかった。家康の思考にはつねに境界があった。家康は不幸なまでの地方主義者で、かれの領国である三河、遠州、そして駿河《するが》の三国の国境のそとに自分の欲望や想像のつばさをひろげようとしたことがない。

織田信長が、その生存中、

「三河殿は、京には関心がないらしい」

と、家康をそう規定していた。普通なら兄貴分の信長が京のぬしである以上、家康もその驥尾《きび》に付し、京の公家《くげ》貴族や武家貴族などと社交をしてもよさそうなものであったが、家康はそういう機会があってもつねに逃げ、

「それがしは京馴《な》れませぬ。なにしろ三河の田舎者でござれば」

と、ことさらに田舎者であることをかかげて、避けてきた。

じつをいうと、家康のこの態度も、故信長が家康を信用した理由のひとつになっていた。三河殿は天下への野心をもっていない、と信長はこれによって見きわめ、自分

にとってもっとも安全無害な同伴者であると踏んできた。むろん家康は、信長の安心を買うところまで計算はしきっている。かれの地方主義は、かれの保身上の計算から出ていた。

ついで、性格もある。

「京の親王や公卿《くげ》、五山の高僧、有徳《うとく》の茶人たちとつきあったところで、何になろう。すべて無駄である」

と、この実利家は、この点、思いきわめている。天下人は信長に決ってしまっている以上、田舎者が京へ出て無用の社交をすることは無用の浪費になるだけのことであった。それよりも辺境を守り、兵を強くし、民を富ましめ、堂々たる地方国家をつくりあげてゆくほうがよい。

が、いま信長は死んだ。

天下が、一瞬にして崩壊したのである。家康の頭上には、たれも居なくなった。

——京へのぼろう。

ということは、政権《てんか》への階段をかけのぼることであった。駆けのぼるだけでいい。まっさきにのぼって、のぼりきった者が、天下人になる。しごく単純な、地理的な問題であった。地理的に京へゆくだけでいいのである。

この時期、宿老の酒井忠次《ただつぐ》が、

「そのこと、いかがおぼしめすか」

と、家康にきいたことがある。天下をとる気があるか、ということであった。これに対し、家康はじつに明快に、

「考えたこともない」

と、答えた。復讐戦は、スローガンとしてかかげる。が、しかし自分を天下に売りこみ、ほうぼうの強豪をなっとくさせて天下人になりおおせるということは、家康がもってきたいままでの思考方式では、それを想像することすら気の遠くなるほどのことであった。

——ともあれ、復讐。

ということだけを叫んでいる。

ところが、家康という男の複雑さは、それもどうやら本心ではなさそうであることだった。本心ならかれは上方から三河海岸に逃げかえったとき、すぐ出陣すべきであった。が、ひどく手間をとった。かれはこの六月七日に三河に逃げかえり、十四日になって岡崎城を出発し、はじめて征途にのぼっている。その行軍速度も、じつに遅かった。このことについては、まるで自己防衛の本能に富んだ小野獣のような知恵から

出ていた。

「なぜ、殿はこんなことをなさるのか」

というのは、気のきいた物頭《ものがしら》ならたれもが疑問をもった。まず最大の疑問は、これから天下争いの大戦をするというのに本国に多数の兵力を置きすて、二千人くらいの小部隊をひきいて出発したことである。

「徳川殿は、なんとこの程度の小勢《こぜい》で天下を争おうとなさるのか」

と、世間が言いさざめくにちがいないため、かれは、

「岡崎から北の山路をとって、大部隊を北進させてある」

と、みちみち言いふれさせた。家康は、たしかにおびえていた。家康はこの時期、とうてい、英雄的光芒《こうぼう》のかがやく人物とは言えなかったであろう。ただ煮ても焼いても食えない田舎おやじの狡《ずる》さのようなもので、かれは行動していた。いったい、光秀と決戦するつもりがあるのかどうかなのであろう。

じつをいえば、

「復讐戦の征途にのぼる」

という、その詩的語感にふさわしい颯々《さつさつ》とした行動は、家康の性格ではむりであった。ところが復讐をしなければ、世間への顔が立ちにくいというこまった課題がある。

このためせめて復讐に出かけた、という事実だけを家康は作っておかねばならなかった。でなければ、世間への声望を失うし、さらにはかれの士卒に対してもまずかった。人に将たる者は、士卒の心に、つねに自分が英雄であることを印象させておかねばならないという演技が必要であった。このため家康にすれば、

——形だけ、西上の姿を見せておく。

という、いわば演技的行動をしていた。

家康という男の食えなさは、復讐にむかって一日だけ行軍しただけであった。炎天の下を一日歩き、尾張鳴海《おわりなるみ》についたころは、背後の三河の山に待宵《まつよい》の月がうかび、海からの風で生き返る思いであった。海は、鳴海潟《がた》である。歌の名所として知られている。

この鳴海に入った夜、門前で立ちさわぐ声がきこえたかとおもうと、やがて意外な人物からの飛脚が到来したことがわかった。

織田家の部将羽柴秀吉からである。

(なぜ、羽柴というような男から、わしのもとに飛脚がくるのか)

ということで、家康は想像にくるしんだ。というのは、家康はこれまで羽柴などという人物にあまり接触がなく、

――小者あがりの出頭人《しゅっとうにん》で、なかなか如才のない男であるそうな。

という程度の知識と関心しかない。その羽柴は、いま中国にいるはずだった。備中《びっちゅう》(岡山県)のあたりで毛利氏の大軍と対陣し、勝敗のめどもつかぬままに羽柴は信長から援軍を乞《こ》い、そのあと信長の最後の行動になった。かれは羽柴からの応援依頼を承知し、まず明智《あけち》光秀《みつひで》とその軍団を先発させ、自分は京の本能寺に泊った。光秀は備中へゆかず、信長の宿館本能寺を襲ったのである。という戦況である以上、羽柴が中国にいることはまぎれもない。ところがその飛脚の口頭によれば、なんと、

「十三日、山城の山崎において逆賊明智光秀を討滅し了《お》えた」

と、いう。十三日というのは、昨日のことである。家康は、当然ながらうたがった。

「惟任《これとう》(光秀)を討ったのは筑前《ちくぜん》(秀吉)どのじゃ、とそちは言うておるのか」

何度か聞きなおしたが、飛脚は左様でござりまする、と点頭するのみで、返答の筋はかわらない。ただしそれ以外の詳しいことはいわず、

「いずれ、筑前どのより書面をもってあいさつがございましょう」

というのみである。それにしてもこの飛脚は、山城の山崎からこの尾張の鳴海まで

たった一日で走ってきている。家康はその速さにも驚いた。

(羽柴という男は、食えぬ)

とおもったのは、これが最初である。羽柴は山崎で光秀を討滅するや、その新戦場におそらく百人ほどの飛脚をかきあつめ、日本全国の大名のもとに走らせ、

――われ、光秀を討ったり。

(そのすばしこさ)

驚嘆すべきものだが、羽柴にすればおそらく速報することによって織田政権の相続者は羽柴秀吉である、ということをいちはやく天下の常識として普及させようとしているのにちがいなかった。

(が、うかつに信ずべきではない)

家康はなおもこの飛脚を信ぜず、みずからの力でこれを確認しようとした。入念な男であった。

その方法としては、この鳴海から三十キロ西方にある、

「津島」

という木曾《きそ》川尻《がわじり》の港に、情報収集のための部隊を進出させることであった。それを、宿老の酒井忠次に命じた。

酒井は、急行した。津島はこの当時の名古屋港に相当するであろう。前記、木曾川尻と述べたが、厳密にはその支流佐屋川のさらに支流の津島川の川尻にあり、伊勢《いせ》桑名とのあいだに航路があり、上方《かみがた》の船舶がさかんに出入りしている。家康はこの港に軍勢を平和進駐させ、船頭や乗客から得るいっさいの情報を独占しようとしたのである。津島港にあって、酒井の軍勢は、足軽にいたるまで情報収集者になった。その結果、

「羽柴の一件、まちがいなし」

という報を、家康は鳴海に滞陣しつつ確認した。

一方、

——家康は鳴海まで出てきている。

という諜報《ちょうほう》は、こういう点に抜かりのない羽柴秀吉はほどなく知って、こんどは正式に家康のもとに使者を出している。

使者は十九日鳴海に到着、家康に面会し、山崎における羽柴方の痛烈な戦勝についてくわしくつたえてから、秀吉の書状をさし出した。

「光秀はすでに誅《ちゅう》し了《お》えましたから、早々に御帰陣あって然《しか》るべし」

という旨《むね》の書状である。

――早々に御帰陣あって然るべし。

というのは、なんと差し出がましい申しざまであろう。家康にすれば羽柴なる者が、早くも自分の上位に立ち、命令してきていることに、目を見はる思いがした。家康は、天下を得る好機を逸した。

――遅れた。

と、自分の慎重さがわずかながら悔まれたが、しかしそれよりも、吻《ほっ》とした思いのほうが強かった。家康はあくまでも計算の達者であり、冒険家ではなかった。もし羽柴が出現せず、自分が光秀と天下を争うようなはめになれば何をどうしようという不安やら心許《こころもと》無さが、つねに足もとから霧のように湧《わ》き、京へむかう足どりを鈍らせていたのである。

（どうせ羽柴も、ほろぶ）

と、家康は洞察した。

（これは羽柴の戦勝ではなく、織田家のもつれやら党争やらの皮切りになってゆくにすぎぬ。羽柴はいずれほろぶであろう。なにしろ北陸には柴田《しばた》勝家がいる）

家康は、羽柴よりも柴田勝家の実力をより大きく買っていた。家康もまた、尋常人と同様、自分の性格の色合いを通して他人を判断するのであろう。家康は柴田勝家が好きではなかったが、どちらかといえば勝家は家康にやや似ていた。両人とも進むよりも蓄積を好み、飛躍よりも基礎固めを好むほうであった。

——勝家のほうが、あぶなげがない。

と、見ている。

勝家のあぶなげなさは、かれが織田家の譜代の臣で、筆頭家老であり、さらには信長の妹婿《むこ》であり、筋目のよさにかけては羽柴など較《くら》ぶべくもない。その上、勝家は個人的勇気に富み、しかも自分の勇気に自分がひきずられることなく、戦の仕方はひどく手堅いのである。

（そこへゆくと羽柴は本来、譜代の家来も持たぬ男だ。かれは織田家の大名・小名をひきいて中国筋の総大将になっていたが、その配下は織田家では同僚朋輩であり、それを今後、家来同然に手なずけてゆくには、恩賞で釣ってゆくしかない。羽柴はこの戦勝で大勢力をつくるかもしれないが、結局は無理に無理をかさねたもので、ちょうど竹馬に乗った子供とおなじである）

ともあれ、家康は羽柴に戦勝を祝う使者を送るとともに、当分静観することにした。したというより、それしか仕様がないであろう。

津島で情報をあつめていた酒井忠次が、やがて家康の鳴海本営へもどってきたとき、

「まったく、妙な者が飛び出してきましたな」
と、羽柴秀吉の出現を、突如古池から魔性《ましよう》でも出てきたような表現で語った。

——木下藤吉郎、さりとてはの者にて候《そうろう》。

と、いまから十年前、羽柴がまだ木下姓を称していたころ、毛利家の外交僧安国寺恵瓊《えけい》が、羽柴の将来をみごとに見ぬき、毛利家に対して予言したような能力は、この時期の家康にも、その老臣たちにもなかった。安国寺恵瓊は、さらにこの十年前、すでに本能寺ノ変を予言しているのである。

「信長の代、五年三年は持たるべく候。……左《さ》候て後、高ころびにあをのけにころばれ候ずると見え申し候」と、本国へ諜報している。西国者の利口さというものを渾身《こんしん》にあつめたような男が、この安国寺恵瓊であった。

が、家康にはそこまでは洞察できず、酒井忠次にいたっては、

——あの羽柴が。

と、いまさらおどろいているのである。このあたり、つまり中央の政治情勢へのおどろくべき鈍感さが、この時期までの家康とその家臣団のなまな姿であった。

余談だが、はるかに後年、家康は関ヶ原の戦勝後、敗将の一人安国寺恵瓊をとらえ、京都六条河原で斬《き》った。恵瓊は論客としては家康やその宿老たちよりはるかにすぐれ

ていたが、実践者としての道や知恵は、また別種なものであるらしい。

家康は酒井忠次がもどってきた翌日、軍を反転させて馬上本国にもどり、浜松城に入った。

（上方のことは、忘れよう）

と、家康が、安国寺流の薄刃のようにするどい知恵才覚の世界とは別個の思考世界にいることは、このとき自分をそう規制したことでもわかる。かれは当分、上方で動乱がつづくであろうと見た。しかし家康がひそかに断定したのは、それらは要するに織田家の跡目相続についての内紛であり、織田家の家来でも一族でもない徳川家としては、知ったことではないのである。家康のこの時期の自己規定と裁断こそ、後年かれをして天下をとらしめる最大の基盤をつくったといえるであろう。

かれは、みずから中央と断絶した。この男が、この時期から死に物狂いでやったことは、ごく地方的な範囲内での領土の拡大であった。自分の勢力基盤をできるだけ強大にし、中央にいかなる勢力が勃興《ぼっこう》しようとも、それとの対決に堪《た》えるだけの体質と体力を徳川家はつくっておかねばならない、と考えた。家康は、羽柴秀吉のように、一世にむかって華麗な大魔術を演出してやろうというような天分はまったくなく、その思考法はつねにきわめて素朴で、素朴であることに自分を限定しきってしまう冷厳さをもっていた。人間の思考は、本来幻想的なものである。人間は現実の中に生きながら、思考だけは幻想の霧の上につくりあげたがる生物であるとすれば、現実的思考だけで思考をつくりあげることに努めているこの家康という男は、そうであるがゆえに一種の超人なのかもしれなかった。妙な男であった。

家康は、天下に対する争覇《そうは》資格があるにもかかわらず、それを棄《す》てた。

（この機会に、甲州と信州を奪《と》ってしまおう）

と、この男はこの小さな野望に、みずみずしい気勢《きお》いだちをおぼえた。鳴海からの帰陣途中、酒井忠次も、

「おかしなものでございますな、道ばたにほうり出されてすてられたるものと同然の国が、二つもござる」

と、いかにも家康にさとらせるよう、暗示風にいった。

（ひとかどの知恵者気どりでいる）

と、家康はおかしかった。

「その二国とはどことどこだ」

とは家康も問いかえさない。家康は酒井忠次が気づくよりもさき、上方からこの三河に逃げかえったときから、甲信両国に着目し、すでに手も打ってあった。たしかにこの両国は持ちぬしが急死したために、路傍に置きすてられており、早く拾った者のとり得《どく》であった。

織田信長が突如死んだ、ということからおこった奇現象なのである。

甲信両国は、かつては武田領であった。信玄が育て、勝頼《かつより》が相続した。その勝頼を、この年の三月、信長はほろぼし、四月、信長はみずから甲州に入り、戦後処分をし、この旧武田領の大半を織田政権の直轄《ちょっかつ》領に組み入れてしまったのである。その直後に、信長は本能寺で死んだ。

かれの織田政権というのは、空中楼閣のようなものであった。信長というなまの人間の力によって存在したが、かれの死によって霧のように消えた。その「政権」が所有していた財産はたれが相続するのか、まだ未定である。その間《かん》、甲信両国は路傍にすてられている。

とくに甲州については、露骨なほどに所属不明である。この国は、巨摩《こま》郡だけは、信長の論功行賞によって旧武田家の一族である穴山梅雪の所有になったが、その穴山梅雪も、家康と上方遊覧中、本能寺ノ変に遭《あ》い、そのとき家康がともに帰りましょうと申し出たのをかえって怪しみ、ふりきって単独で上方を脱出しようとして、不幸にも途中、明智方の落武者狩りにかかり、殺された。このため、穴山領も、空家になってしまっているのである。

家康は、上方から三河にもどってすぐ穴山梅雪の死を知った。このとき、

——穴山領を奪ってしまおう。

という衝動が当然おこったが、奪るというこの物騒な犯罪的行為を、いかにこの当時の良識と合法に照らしてなしくずしに処理するかが、つねに家康の苦心するところであった。

「岡部党」

というごく小さな族党が、駿河を中心に、甲州・遠州の三国に、源平のむかしから土着している。家康のこの当時の岡部党の代表者は、岡部正綱という四十すぎの男だった。

この岡部正綱の系統が、のちに徳川期の大名である泉州岸和田六万石の岡部家になるのだが、かれほど若いころから小族党のぬしとして苦労した男もない。今川氏が強大なときはその傘下《さんか》に属し、今川がおとろえて武田氏が勢いを得るといちはやくそれに属し、さらに武田氏が衰弱したころ、敏感に死臭を嗅《か》いで、新興勢力の家康に内通

し、やがて武田勝頼がほろぶと、晴れて徳川氏の傘下に属した。

家康はこの岡部正綱と奇縁があった。家康が人質として駿府《すんぷ》にいたころ、この岡部正綱とは遊び友達であった。家康はこの岡部に対し、

「二郎右衛門どのよ」

と、通称でよび、

「そこもとならでは出来ぬ用がある。穴山どのが上方において無残な目に遭われたため、その領国の巨摩郡ではいまごろ騒がしくなっているであろう。そのほうすぐ下山《しもやま》（梅雪の居城・身延《みのぶ》山東方）へゆき、鎮撫《ちんぶ》しておくがよい」

と、申しつけておいた。岡部はその族人や血縁、姻戚《いんせき》が甲州に多く散らばっている関係から、たれよりもこの仕事に適任であった。

――いずれ、甲州一円に徳川殿が馬を入れられる。

と、郡内の在所々々を駆けまわって触れこんでおきさえすれば、地侍どもは餌《え》を慕う魚のように集まってくるはずである。さらに岡部に工作の腕をふるわせて、地侍のほうから、

――どうか、徳川殿の傘下に入りたい。

と、自発的に申し出させれば、結果は奪ったことにならず、家康は労せずして巨摩

郡をまるまる取りこむことができる。苦労人の岡部正綱はその辺の呼吸は十分心得ている。

——さっそく、骨身《ほねみ》をくだいても。

といったが、べつに骨身をくだくような仕事ではなかった。家康がいかに信用のできる大将であるかという宣伝をすればいいだけの仕事であった。

岡部は家康から軍勢をあずかり、富士川の川岸を北上した。やがて巨摩郡の下山城館に入って、四方の甲州侍を語ろうたところ、みな棟梁《とうりよう》をうしなって不安を感じているときだったから、たちまち靡《なび》いてきた。

「矢弾をつかわずに、国がとれる」

と、岡部はこの仕事がよほどおもしろかったらしい。この場合、弾のかわりになるものは、酒であった。岡部正綱は連日人に会い、酒を飲み、このためあとで体をこわしてしまい、この年の暮に、脳の血管を切って死んでしまった。岡部正綱は、死をもって家康のために巨摩郡一つをあがなった。

——この手だ。

と、それまで主として軍事的才能ひとすじで生きてきた家康は、この巨摩郡工作の成功で、調略というものの効能をまざまざと知った。調略とは、のちの言葉でいう謀略外交である。城壁を軍事的に砕くよりも、城の中にいる人間の心を利で釣り、情で溶かして変化させるほうが、はるかに効果があることを知った。このとし家康は、四十である。謀略家としては、晩熟《おくて》のほうであった。

ところで、織田政権の直轄領である甲州一円には、信長が派遣した代官がいる。

「出目《でめ》の肥前」

といわれている老人で、信長の経理官だった河尻与四郎鎮吉《しずよし》である。この河尻は尾張の出身で、信長の父信秀の代からつかえ、その一代、織田家の財政事務にあたっていた。信長は、この篤実《とくじつ》な老吏の苦労をあわれみ、

「河尻与四郎を、いつか蔵の中から出してやる」

と、いったことがある。野戦攻城の武将なら、その武功によって城地をもらうという楽しみがあるが、収納の良吏にはそれがない。

信長が、甲州を鎮定したとき、この河尻与四郎を抜擢《ばってき》して、肥前守《ひぜんのかみ》に任官させ、甲州代官にした。その代官所は、武田勝頼がその滅亡の前年に竣工《しゅんこう》させた新府城であった。

信長は、人選をあやまったかもしれない。河尻与四郎は織田家の金庫番であったときにはなるほど篤実な吏僚だったが、行政官としてはおよそ失格者であった。甲州の

士民は、武田勝頼がやった無計画な軍役のために酷使され、疲労しきっている。本来、新領主たる者はこれを察して租税を安くし、労役をすくなくし、それによって人心を攬《と》るべきであるのに、財務家の河尻は逆に出た。かれは府庫をゆたかにすることのみを考え、一反、一町の田地をも検査し、その耕地面積を大きくし、それによって課税額を大きくした。出目《でめ》、とは耕地面積を大きく測定したことによる税収入の増加分のことである。このため人心が離反し、しばしば一揆《いっき》がおこりかけたが、河尻は密偵を各村に放ち、騒動がおこりかけると容赦なく武力で鎮圧した。

「織田の暴政」

と、わずか数ヵ月の期間ながら後世まで語りつがれるほどに、この、元来温和な収納吏は苛酷《かこく》きわまることをやったらしい。かれは、なにかというと、織田の武力を背景にした強圧政治をおこなった。

——いずれ、一揆をおこしてやる。

と地侍どもがひそかに語らううちに、にわかに本能寺で信長が急死したという報がつたわったのである。この当時、甲州人ほどこの変報をよろこんだ例はないであろう。

「河尻めの威光が、これで消えたわ」

甲州における絶対権力者が、一朝にしてただの人間になってしまった。河尻の不幸は、かれは一介の役人にすぎなかったことであり、大名のような独立した武力集団をひきいていなかったことである。織田権力があってこその河尻であった。本能寺ノ変によって河尻は弱者に転落した。いままでの被害者が強者になり、地侍たちは不穏な形勢をみせはじめた。それら地侍どもの後楯《うしろだて》には、

——家康がいるらしい。

ということは、新府城の楼上に籠《こも》っている河尻にもわかった。甲州の地侍どもは、旧穴山領の巨摩郡だけでなく、一国一円にわたり、あらそって岡部正綱に懇志を通じ、家康の系列に入ろうとしていた。家康が、背後で糸を繰っている。……

——三河のむじなめ。

と、河尻はおもった。家康をこの種の謀略人間であると見た最初の人物は、この織田家の甲州代官河尻肥前守鎮吉だったであろう。

が、一面、河尻はなるほど織田家の蔵の中で帳簿をつけていたときには老熟した収納吏であったかもしれないが、世間というものの機微については、少年のようにおさなかった。

ここに、信長の一言がのこっている。

かつて信長が武田氏をほろぼし、甲州に馬をすすめ、古府《こふ》(甲府)において戦後処

置をしたとき——家康に駿河をあたえ、河尻には甲州の代官職をあたえたとき——家康にむかい、

「この河尻は」

と、いった。

「物事に不熟なところもあるゆえ、難事出来《しゅったい》のおりは徳川殿、よろしく後見の労をとられよ」

この言葉は、同席した河尻の耳にも残っているはずであった。不幸にもいま、大難事が出来している。もし河尻が世間上手な男であるなら、近国の家康を恃《たの》み、万事その采配《さいはい》にまかせようとしたにちがいなかった。むろん、采配にまかせる以上、その保護下に入るわけであり、ということは臣属することであった。それが、この当時の権力政治の原理であるのに、半生、織田家の蔵の中ですごしたこの官僚にはそれがわからず、

「家康は甲州に野心があり、自分に危害を加えようとしている」

としか、見なかった。河尻は本来、戦国の権力政界には、出るべき男でなかったであろう。

「百助」

という人物が、家康の家臣団のなかにいる。百助は、徳川麾下《きか》の最大の族党の一つである本多氏の一員で、本多百助忠俊といった。家康は百助をよび、

「甲州の河尻のもとにゆき、相談にあずかるように」

と、命じた。命令の内容はそれだけで、家康はいつの場合もこうであり、この点、本多平八郎のいう、「わがあるじは、ハキ（はっきり）としたることは申さざる人」という家康評は正しかった。家康は戦であれ外交であれ、大ざっぱな命令をあたえるだけで、あとは当人の推量やら独断やらにまかせるのが常であった。百助は、本多の族党のなかにもどってきて、任務の内容について一同に相談をするのである。

「わかりきったこと。新府城を奪ってしまえということだ」

という者もあれば、

――そうではあるまい。殿は、故右大臣家（信長）の旧恩にむくいるため、河尻の相談に乗ってやれと仰言《おおせ》ある。

と、解釈する者もある。家康は、そういう解釈が、族党内の知恵者のあいだで百出することを好んでいるらしい。

深刻な解釈もある。

「死ね、ということではないか」

河尻肥前守は稀代《きたい》の狭量人ゆえ、本多百助がやってくれば甲州を奪《と》りにきたかと疑い、百助を殺すであろう。殿はそれを口実に弔い合戦をおこし、甲州一円をわが手におさめてしまおうとなされているに相違ない、というものであった。

これらの論議の結果、百助は、任務の解釈内容が豊富になった。かれはこの幾つかの解釈を持ち、甲州の新府城へ出かけ、河尻に対面した。

「なにをしにきた」

と、河尻は対面早々、怒気を含んでいったのは、河尻の角度からみれば、むりはない。本多百助は、相談役として参りました、というが、こんなばかなはなしはないであろう。相談役というのは、軍監である。軍監とは、本宗《ほんそう》の国から属国に派遣されてくる目付役のことで、事実上の指揮はこの軍監がとる。河尻は、家康に隷属《れいぞく》したおぼえもなく、軍監を派遣してくれとたのんだ覚えもない。徳川氏のほうから、勝手にこの本多百助のような者がやってきたのである。

(しかも、愚直人だ)

と、河尻はおもった。百助は権謀術数の外交ができるような男ではなく、せいぜい戦場を猪突《ちょとつ》する槍《やり》武者であるにすぎなかった。ただ百助の取柄は、徳川家のためなら水火も辞さぬという三河者の典型のようなところがあり、それだけかもしれない。

「亡《な》き右大臣家のお言葉により、殿がそれがしを遣わしただけでござる」

と、百助は同じことを繰りかえした。河尻は、疑った。最大の疑点は、百助が、巨摩郡下山《しもやま》にいる岡部正綱から十人ほどの足軽を借りてきていることであった。

——わしを取り籠《こ》めて殺すつもりではないか。

と、河尻は思い、そう思うと、根が文吏だけにおそろしくなり、腰が浮いた。座を立ち、奥へ入り、この恐怖からのがれる唯一《ゆいいつ》の道は百助を当方が先手で殺すことだ、とおもい、人数をあつめた。その程度の人数なら、この新府城でも不自由はない。一同槍の鞘《さや》をはらい、部屋の三方のふすまを一斉に蹴《け》たおし、おどろく百助の左腹を一筋の槍がずぶりと串《くし》に刺した。

百助は、その串を両手でつかみ、蝦《えび》なりになって懸命にひきぬこうとしたが、その高股《たかもも》を背後から突き通され、わっと倒れた。あとは、血の海である。河尻方は、上から百助を幾槍も突いた。

百助があげた声のすさまじさに、庭で待っていた小者がはじめて異変に気づき、門がひらいていたのを幸い、逃げた。城外まで逃げ切り、百助の供をしてきた足軽に急報した。みな、あとも見ずに逃げた。かれらはこの異変を、下山にいる岡部正綱に報《しら》せた。

「百助は、殺されたか」

岡部も四十を過ぎた世巧者《よごうしゃ》で、それに河尻という男の性格を知っている。はじめ百助がここへきて自分の任務をいったとき、ああこの男は殺されるだろう、とおもった。ばかなことだが、その予感どおりになってしまった。

岡部は、ぬかりがない。

「徳川殿の重臣《おとな》の本多百助どのが殺された」

ということを、在所々々の甲州地侍たちに触れさせてまわった。百助は重臣ではなかったが、岡部は、事の重大さをより一層重大なものとして印象づけるために、そう誇張した。

「徳川殿のオトナが殺された」

という事態ほど、甲州侍たちの行動を鮮明にしたものはない。かれらが河尻を撃ち殺すことに遠慮していたのは、徳川氏が織田家の忠実な同盟者であることを知っていたからであった。さらには岡部正綱が、甲州人たちに暗示をあたえた。

——河尻は、甲州を逃げ出すだろう。

途中で撃ち殺せ、という意味である。この一言で、甲州地侍たちは、河尻を殺すことが徳川家への新参早々の功となると計算した。

たちまち一揆をおこし、河尻を攻め殺し、首をば三井十右衛門という甲州侍、討ちとる。

と、古記録にある。この甲州侍三井十右衛門はこのあと家康に仕え、かれの家系は江戸期には千五百石の旗本になり、明治までつづいている。

家康は、遠州浜松城にあって、本多百助の非命の最期《さいご》を知った。

家康のこのときの様子を、記録は、

さりとては、惜しき士を河尻めに殺させけるものかな、と御落涙あそばさる。

と、書いている。家康は百助の死を、当然その予想のなかにふくめていた。涙は、侍の主《あるじ》として当然こぼさねばならぬものであり、落涙は後悔ではなかった。

この月の下旬には、家康の大軍ははやくも甲州に進駐し、治安に任じている。さすがに家康自身は、浜松城に残った。

甲州進駐に任じた諸将は、大久保《おおくぼ》忠世《ただよ》、石川康道《やすみち》、本多広孝《ひろたか》、岡部正綱らであった。

たちまち甲州は鎮静した。

甲州は、信州につながっている。甲州に強大な武力が成立すると、信州は小豪族の割拠地であるために、かれらは甲州武力に属さざるをえない。武田信玄のころもそうであった。

その物理現象が、このときも起った。信州の小さな土着大名である諏訪《すわ》頼忠《よりただ》、小笠《おがさ》原《わら》信嶺以下は、あらそって家康に人質を送り、その傘下《さんか》に入った。諏訪、小笠原氏とも、のちの徳川期の譜代大名に列している。

――家康は、甲信両国を拾うつもりか。

と、この事態に激しく反応した勢力が、二つある。ひとつは北方の越後に根拠をもち、信州川中島のあたりまで勢力圏をひろげている上杉氏であった。ただしこのかつては強大だった北方勢力も、いまは上杉景勝《かげかつ》の代になっていて、謙信時代ほどにはふるわない。

問題は、小田原に巨城をかまえて関東に大勢力をもつ北条氏であった。

「甲州入りも結構でござるが、北条氏を怒らせてしまうと、藪《やぶ》を突いて蛇を出すようなもの。ご用心あれ」

と、酒井忠次も、家康の甲州侵略の工作について、注意をうながした。忠次は、それが宿老の責任だとおもうのか、わかりきったことを大声で注意する癖がある。

(また、賢《さかし》らぶっている)

と、家康はおもったが顔には出さず、

「もっともなことだ」

と、ふかくうなずいた。とはいえ、家康はすでに北条氏の出方については細心に手をうっている。北条領にこの時期、無数の諜者《ちょうじゃ》を入れていた。

北条氏は始祖早雲《そううん》以来五代九十年、その勢力圏の大きさからいえば、信長没落のいま、日本最大の大名といえるかもしれない。北条圏の国々をあげると、相模《さがみ》、伊豆《いず》、武蔵《むさし》、上総《かずさ》、安房《あわ》、上野《こうずけ》の六カ国のほかに、常陸《ひたち》、下野《しもつけ》、駿河といった三カ国の一部をもふくんでおり、穫《と》れ高は総計二百八十余万石におよぶ。この老大国にくらべると、家康の勢力などは、鷹《たか》の前の雀《すずめ》ほどに小さかった。

(が、大したことはあるまい)

と、家康がやや安心しているのは、北条氏の思考法がわかっているということだった。北条氏は自分の領土が侵されるということになるとひどく敏感だが、甲州や信州あたりがどうなろうとも、あまり関知しないというところがあった。こういう相手に対しては、なんとか外交でなだめる工夫があるであろう。その上、いまひとつ家康にとってありがたいことは、北条氏は家康の数倍も大きな動員能力をもっていながら、士卒は長い年月の安泰に馴《な》れ、とても戦場での働きは、他家の士卒の半分にもおよばないことであり、さらに、当代の北条氏政《うじまさ》・氏直《うじなお》父子はそろって暗愚であるということだった。

北条五代のうち、初代早雲につづいて氏綱、氏康《うじやす》と器量人が出た。三代目氏康にいたっては、

——私ほど臆病《おくびよう》者はない。

と、平気で人にも言い、げんに少年のころはそうであったらしいが、『小田原記』の筆者はこの氏康をもって「日本広しといえども、古今例《ため》しなき名将なり」とたたえている。「一生の御勝利三十六度、ついに一度も総角《あげまき》を見せ給《たま》わず」。総角とは、こどもの髪型のことだが、ここでは大鎧《おおよろい》の背中についているふさのことをいう。敵に背を見せたことがない、という意味である。

この氏康は、その子の氏政の愚かさにはほとんど絶望していたらしい。氏康は、子の氏政と食事をしていたとき、氏政は一椀《わん》のめしに汁を二度もかけて食った。その様

子をみて氏康は「北条の家も、わし一代で終りらしい」と、落涙したという。その理由を氏康は説明し、

「大体、飯というのは貴賤《きせん》みな一日に二度（このころ食事は日に二度であった）食う。だから自然、鍛練できて目分量がわかるものだ。いま氏政のやることを見るに、最初汁をかけ、それが足りぬとみたのか、また掛けた。その程度の見積りもできないのに、国を保てるはずがない」

と、いったという。

その庸人《ようじん》の氏政が、運よく家を保ち、家康のこの時期にはすでに四十四歳になっていた。いまでは隠居して截流斎《せつりゅうさい》と名乗り、若い当主の氏直を後見している。その氏直は氏政以上に暗愚であった。この時代、人の主《あるじ》が暗愚であるということは、士民にとってこれほどの害悪はなかった。

織田信長の本能寺における急死が、時勢に鈍感な北条氏にも、するどくひびいた。信長は晩年、関東をも制覇しようとして滝川一益《かずます》を派遣し、それを厩橋《うまやばし》（前橋）城に入れておいた。滝川は北条勢力と対戦しつつ関東であたらしい地盤をつくろうとしたが、その事業はじめに突如信長急死の報をうけ、足をすくわれ、地侍は四散し、主従わずかな人数で関東を脱出するというはめになった。北条氏は兵を出して滝川を討

ち取ろうとしたが、失敗した。北条氏にとって滝川の首などはどうでもよく、この際、関東の回復をはかるほうが急務であったが、その早々に家康が甲州を奪ろうとしていることに気づき、

——まず家康と戦う。

ということで、士卒を大動員した。

家康の宿老酒井忠次にすれば、早く北条氏をなだめ、外交関係を確立する必要がある、という意見であったが、家康は無視した。

(相手は、大国である。いまいそいで親交を求めれば、当方は小国であり、媚《こ》びざるをえない)

と、家康は考えている。媚びれば対等の関係は成立しない。まず一戦して当方の戦力のするどさを見せ、そののちに外交するのが、家康のような新興国のとるべき方法であった。

家康がそうおもううち、北条氏直は五万の大軍をひきいて上州から信州に入り、信州八ヶ岳東麓《とうろく》の街道に人馬を氾濫《はんらん》させつつ南下し、やがて海ノ口（南牧村）から甲州

北部をうかがう形勢をみせた。家康がこの変報を、遠州浜松城でうけとったのは、七月十八日である。

「すぐ甲州へ出馬すべし」

と、家康は無数の使者を甲州へ駆けさせて甲州地侍たちの動揺をふせぎ、翌十九日、浜松城を進発した。ひきいている兵は、五千人でしかない。

このほか、信州併呑《へいどん》工作のため諏訪に三千人駐屯させてある。その三千人をいそぎ呼びもどすべく急使を出したから、あわせて八千人である。五万に対し、八千で対戦するというのは、戦術上、論外なことであった。

が、この場合は例外として十分成立するかもしれない。北条方は、士卒が弱いうえに、大将は暗愚であった。

――甲州地侍どもは、これをどうみるか。

ということが、家康にとって必死の関心事であった。甲州人が、南からやってきた家康の軍容をみて、北方から侵入しようとしている北条方に味方するなら万事休すである。

ところが、

「その国人《こくじん》（地侍）、粮米薪《ろうまいたきぎ》を献じ、御迎えに出る者、道もさりあえず」

という状況で、家康は歓待されつつ北進した。故信玄以来、軍事に習熟した甲州人たちは、戦は結局は大将の優劣によることを骨身にしみて知っており、家康はこの点、かれら口うるさい甲州人の鑑定に悠々合格できたことになる。

が、大軍に戦術なし、という。大軍はただひた押しに少数軍を圧倒するだけでよいという場からいえば、家康のほうには勝ち目はなかった。げんに、

（とても勝てない）

と、家康自身が思っていた。勝ち目がなくとも、家康は出馬せねばならない。もし北条の大軍をおそれて家康が遠州浜松城にひきこもっていたら、甲州人はことごとく北条氏に鞍替《くらが》えし、家康は永久に甲州を併呑する機会をうしなうであろう。

甲州人の多くが家康に味方した、ということについては、ひとつには家康の対甲州態度というものも、あずかって力があったであろう。家康は若年のころ、信玄を首領とする甲州人を最大の敵としながら、しかも半面、甲州人の武略を敬服することが異常なほどで、武田勝頼が滅亡したあと、家康はすぐ信長のゆるしをうけ、大量に甲州人を召しかかえた。人間を採用するだけでなく、甲州軍法まで採用し、徳川家の従来の軍法を、大幅に甲州流に変えた。すでに主《ぬし》をうしなっている甲州人にすれば、

——従うなら、この殿にこそ。

と、当然おもったであろう。なにしろ家康は大量にかかえた甲州人を井伊直政《いいなおまさ》に配属させたが、この新参部隊をことごとく赤備《あかぞな》えにしたくらいの惚《ほ》れこみようであった。赤備えとは、旗も具足もことごとく赤で色彩統一された部隊のことを言い、かつての武田軍の特徴の一つであった。甲州人たちは、家康のこの優遇をよろこばぬはずがなく、「道も去りあえず」というのは、当然のことであったかもしれない。

（が、北条の五万には勝てない）

と、この現実家は、おもっている。家康にすれば、勝てずとも対戦し、五分々々の戦いをしてきれいにひきあげるということさえすれば、甲州鎮撫《ちんぶ》の上からも、対北条外交の上からも、すべて好結果が出るとみていた。

家康は古府（甲府）に入り、武田の部将であった一条信達という者の旧邸に本居をすえたが、あくまでも秘密にし、表むきの本営を、古府よりはるかに南へさがった笛吹川南辺の丘陵地帯の曾根《そね》というところの古城勝山城に置き、その城頭に徳川家の旗をひるがえさせた。この擬装本営の守将には、服部《はっとり》半蔵を命じた。半蔵は伊賀《いが》が筋目であるだけに、この種の戦場擬装にはたれよりも長じていた。

要するに家康は、大軍に見せかけた。さらに、信州から甲州によびかえした三千の部隊については、これをそのまま遊軍につかい、北条方の本陣ちかくに出没させ、さかんに発砲させ、ときに陣屋を夜襲するなど、その神経をいらだたせた。要するに、狭い甲州の峡谷地帯に入りこんできた北条軍を、家康は三方から包囲するがごとき擬勢を張り、この擬勢には成功したが、しかし兵力が寡少《かしよう》すぎ、とても決戦などは不可能であった。決戦すれば、家康方は半日で潰《つぶ》されてしまうであろう。ところが家康というの男のおもしろさは、この形勢下で決戦する構えをみせたことであった。

北条氏直はさらに南下して若神子《わかみこ》に布陣した。このため古府の家康との距離がちぢまった。この接近を家康は怖《おそ》れねばならないが、ところが逆に家康は古府をひきはらい、若神子の氏直に接近すべく山地づたいに北上し、岡部正綱のまもる新府城に入ったのである。若神子と新府城との距離は、六キロ強しかない。双方とも、その陣の前後左右に大小の川が流れていてそれが互いの要害になっているが、野外決戦をおこなおうとおもえば十分にできる距離であった。が、北条のほうは仕掛けて来なかった。

「家康は、よほど自信があるらしい」

とみて、ひどく用心ぶかくなった。むしろ家康のほうからしばしば城を出、野外に陣を張って挑発してみたが、北条氏直は大軍を擁したままうごかない。はじめは、

（なにか意図があるのではないか）

と、家康は動かぬ理由を臆測《おくそく》してみたが、強いて理由づければこのあたりの地形が

狭隘《きょうあい》で、大軍を大きく横に展開することができないというくらいのものであった。要するに、北条氏直は臆してすくんでいるだけであろう。

双方、にらみあうままに日が過ぎ、やがて北条側から講和の声が出てきた。家康は、吻《ほっ》とした。講和の提唱者は氏直の叔父で、伊豆韮山《にらやま》城主の北条美濃守氏規《みののかみうじのり》であった。氏規は北条一族のなかでは物事のわかった人物で、しかも家康とは昔なじみであった。昔、家康が少年のころ、駿府の今川家に人質に行っていたとき、氏規もまた人質として駿府にきていた。ともに鷹野《たかの》をして、つぐみなどを獲《と》ったこともある。

氏規からの和議申し入れに応対したのは、榊原康政《さかきばらやすまさ》であった。家康は、いっさい会わなかった。かれはこの戦場では一度も陣頭で指揮をせず、敵の視界に姿を曝《さら》すこともしなかったのは、家康という者がいかに大きい存在であるかを北条方に印象させるためであった。和議の使者に家康が会わなかったのも、もし会えば、会うというだけのことで少数軍の弱味を敵にみせることになる。

北条側から言ってきた和議の内容は、

「甲州はこのたびかぎりで徳川氏の斬《き》り取りにまかせよう。そのかわり北条氏は、関東八州の鎮定に専念する。さらにこれを機会に同盟の結び目を固くし、家康の娘を氏直のもとに輿入《こしい》れさせて姻戚《いんせき》になりたいが、どうであろう」

というものであった。

自尊心のつよい老大国の北条家が、新興の徳川家から嫁をむかえようというのは、よほどのことであった。家康にはむろん異存がない。

「承知した」

と、榊原をして使者に返事せしめた。

ところが、そのあと北条氏の態度はいかにも尊大で、家康を見くだしていた。この調印のために氏規自身がやって来るべきであるのに、来ないのである。講和を提唱した側から足を運ぶのが、筋であった。

(ところが北条側は、徳川のほうから出むいて来い、というのであろう。それをやれば、自滅だ)

と、家康はおもった。ゆけば、彼等は家康に弱味ありと見るにちがいなかった。家康はそのあとも滞陣し、沈黙をつづけた。

北条側は、この家康の態度をうたがったらしい。

——このすきに、家康は襲いかかるつもりではないか。

と判断し、総大将の北条氏直は、いよいよ防衛を固くした。徳川陣にちかい平沢の朝日山というところに砦《とりで》を急造し、番兵を入れたのである。家康は、決戦を覚悟した。

かれは、北条に対し、講和破棄、決戦を望む、という旨《むね》の戦書を書いた。

というより、覚悟を擬装した。

その要旨は、

「このたびの和議は、私としてはべつに望んではいない。ただ、北条美濃守（氏規）と私とは、駿府今川殿のむかし、たがいに人質として一つ城下で日を送り、すこしもわるい思い出がなかった。この良友の申し出ゆえ、不本意ながら承知したのである。それを何ぞや、平沢のあたりで砦などを築かれるなど、その御様子、はなはだ不審である。となればいっそ和議を崩し、一戦の上、運否《うんぷ》を天にまかさるべし」

という、激越なものであった。

家康は、この戦書を北条陣にほうりこむ使者として、家臣のなかから最も大兵《だいひょう》で豪胆な男をえらんだ。遠州の人朝比奈《あさひな》弥太郎泰勝という青年である。背は六尺ほどもあり、桃形の兜《かぶと》に黒具足をつけ、母衣《ほろ》をかけて騎走すると、まるで怪獣が野を駆けるようであった。朝比奈はこの使者を名誉とし、家康の書状を匣《はこ》におさめて首にかけ、ただ一騎、敵陣にむかってかけだした。

やがて平沢のあたりまでくると、北条方の諸将が、入りみだれて陣を布《し》いている。朝比奈はそれらの頭上をとびこえるようにして駆け、やがて北条方の軍師で首席家老

の大道寺政繁の陣の門前につくと、馬を戛々《かつかつ》と乗りまわしながら、

「こなたは、徳川三河守よりの使いの者である。北条美濃守（氏規）殿の陣所はいずこぞ」

と、なんの会釈《えしやく》もせず、荒らかに呼ばわると、北条方はその勇気に呑《の》まれ、案内者が出てきて、朝比奈を氏規の陣所につれて行った。氏規は、家康の書状をみておどろき、すぐ氏直のもとにゆき、

「御屋形《おやかた》は、徳川と決戦なさるおつもりでございますか」

と、なじった。氏直もおどろき、すぐその場で氏規にたのみ、講和のために徳川の陣屋へ使いしてもらいたい、といった。

北条氏は、これで立場が下手《したで》になった。さらにそれに輪をかけたことは、本来、たがいに陣をひきはらうというとき、違約をふせぐため人質を交換するものであったが、この場合、北条方は一方的に人質をさし出した。人質は、大道寺政繁の子新四郎という少年であった。

和議が成ると、北条軍五万は北にむかって去った。家康も陣を払い、古府へ南下した。

――わずか八千の兵で、五万の敵を去らせた。

という家康の調略の腕ほど、家康の諸将を驚嘆させたものはない。家康は、信長との同盟二十年のあいだ、信長に対し屈辱そのものの外交で終始したが、その信長が死ぬと、頭痛が一時にとれたように、別人になった。かれは北条に戦書をたたきつけたとき、もし北条がそれで立ちあがるとすれば、あるいは敗けていたかもしれなかったが、しかし家康は敵の主将の北条氏直やその諸将の性格の表裏を読みぬいた上で、強腰に出た。もしこの相手が信長のような男であったなら、家康は相手の鞜《くつ》を嘗《な》めんばかりに腰を低くしたかもしれないし、事態が戦いにもちこまれぬよう、知略のかぎりをつくしたであろう。家康は別人になったというより、相手次第で、自分を変化させるという老獪《ろうかい》さを身につけてきた。

初《はつ》花《はな》

信長の死後、秀吉が飛躍した。

「——夢のような」

と、京の公卿《くげ》たちもその日記に識《しる》したほどに、この間《かん》の変化はいかにも急であった。

秀吉は、天正十年六月二日朝の本能寺ノ変までは織田家の侍にすぎなかった。それがにわかに京をおさえ、一年数ヵ月のち上方《かみがた》を中心に二十四ヵ国という大版図《はんと》のぬしになり、その暮には、併行して築造しつつあった大坂城という、海内《かいだい》に比類のない巨城にすわった。うち割っていえば、織田家の版図を、信長死後の内部抗争に勝った結果、実力で相続したのである。

家康は、東海にいる。

この間《かん》、かれは中央の変動にまるで関心がないかのように、毎日多忙であった。たとえばかれは骨の髄からの蓄財家で、財政はなるべくかれ自身が攬《と》った。この時代、領主の収入は米穀であったが、ときに金銀銅などの硬貨も入る。かれは役人を下知して穴あき銅貨には銭差しを通させ、かれが工夫した作法どおりに城の金蔵に積みあげさせた。金貨と銀貨についてはとくにこの作業が丹念で、一くぎりごとに紙で包みこみ、その表に家康自身が、その日の年月日を書き入れるのである。役人に記入させることはなかった。この時代、秀吉の慶長小判や大判がまだ出現していないため、金貨は不揃《ふぞろ》いで、当時の用語でいうと、スネガネ、ココシガネ、ハズシガネなどという私鋳の金貨ばかりであり、このため家康の金貨の包みは、大小まちまちであった。

話が後年になるが、豊臣期のおわりごろ、豊臣家の有力な大名である細川忠興《ただおき》が伏見屋敷でわずかな金子《きんす》に窮したことがあった。窮したあまりその家老松井佐渡を家康のもとにやって借用方を申し入れると、

——お安きご用である。

と、家康は蔵から古びた唐櫃《からびつ》を二つもって来させ、松井佐渡にふたをあけさせた。櫃《ひつ》一つに黄金が百枚ずつ収められていた。しかもその黄金の包み紙には家康の筆跡で年号が書き入れてあり、もっとも古い年は、家康がまだ三河の草深い城にいたころのものだったという。

一事が万事、そういう男である。

かれは夏には値のやすい麦飯しか食わなかったし、下帯《ふんどし》は洗い古びても使えるよう、浅黄《あさぎ》に染めさせたものを締めていた。

「男子の下帯には、もめんの白きより、浅黄に染めたるがよしとおおせられし」

と、『古老物語』にあるが、さすがに質朴な三河者たちも、下帯ぐらいは白くありたいとおもい、家康を見習わなかったという。

「三河どの（家康）は吝嗇《りんしょく》」

という評判は、家康の存在が大きくなるにつれ、世間にひろまった。

かつて織田信長からその英気と器才を愛され、秀吉から逆に怖《おそ》れられた蒲生《がもう》氏郷《うじさと》は、豊臣のころ、殿中で諸大名と雑談していて、

――もし太閤《たいこう》に万一のことがあれば、天下はたれにまわるだろう。

という話題になった。氏郷は即座に、

「加賀どの（前田利家《としいえ》）に衆望があつまるだろう。徳川どのは評判の吝嗇者だから決して諸大名は寄りつかぬ」

と、いった。

家康の財政の辛《から》さについては、『天野逸話』や『前橋聞書』にもある。市中の米価が騰《あが》ると、家康は城の米蔵をひらいて売った。逆に廉《やす》くなると、金銀で米を買い、米蔵へ入れた。後年、天下をとって駿府《すんぷ》に隠居してからもこの癖がやまず、

――上様にはよく商いを遊ばさる。

と、下々が評判したことが記録されている。これにつき、家康の奇妙な談話も記載されている。

「自分が金銀を集めすぎると言う者があるが、それは物の理を知らぬのである。上府（政府）に金銀が集まれば、下々に金銀が少なくなり、自然、下々は金銀を大切にするようになるのだ。もし世間に金銀が多くなれば物価が騰貴《とうき》し、世人が困窮するよう

になる」

と、いった。信長や秀吉は貨幣経済に力点を置き、さらに国家貿易を考え、国家そのものを富ましめようとしたが、家康の経済観は地方の小さな農村領主の域から一歩も出ず、結局この家康の思想が徳川政権のつづくかぎりの財政体質になり、財政の基礎を米穀に置きつづけるようになり、勃興《ぼっこう》してくる商業経済に対抗するのにひたすら節約主義をもってし、そのまま幕末までつづく。

が、家康にとっては、これは抜くべからざる信念であった。

余談をつづけるが、家康の晩年のことである。あるとき家康は諸侯と庭園にあり、ふと蹲《つくばい》の水で手を洗った。そのあと懐《ふとこ》ろから懐紙をとりだして手をぬぐったが、そのうちの一枚が風にさらわれた。あわてた家康は繁《しげ》みのなかまで追ってゆき、やっと拾って懐ろにおさめた。その家康のあまりの吝《しわ》さに若い近習が声を忍んで笑ったところ、家康が気づき、不機嫌になり、

——おのれらには不本意かもしれぬが、わしはこれで天下をとったのだ。

と、いった。事実、天下をとった男の口からその言葉が出ている。抗《あらが》いようのないことであったであろう。

ともあれ、秀吉の天下になった。

が、家康は金銀を掻《か》きこみ蓄えこむようにして甲斐《かい》と信濃《しなの》に兵を入れ、占領地にはすぐ代官を入れ、靡《なび》く者は快く家来にし、おのれの領土をわずかでもふやすことで懸命であった。かれの遠大な方針というより、その性格から出ていた。将来、秀吉と戦うにせよ、外交上の駆引きをやるにせよ、自分の資産を充実させておくことが急務であった。

（生き残れるだろうか）

と、家康は甲斐や信濃を駆けまわりながら不安を覚えることがあったが、それよりも一郷一村でも多く取りこんでしまうことが大切であった。どうせ甲信両国は武田氏から織田氏が相次いだため国主がおらず、いわば道に持主もないまま落ちている。拾い得にすべきであった。

家康は、上方に無関心を粧《よそお》った。そういう期間中、ただ一度だけ秀吉に対し、交渉をもった。

天正十一年四月二十一日、秀吉が北近江《おうみ》の賤《しず》ヶ岳《たけ》において、織田家の主席家老である柴田《しばた》勝家と対戦し、これを撃破して、織田政権の遺産相続者であることの実質を確立したときのことである。

家康はこの報をきいたとき、ちょうど昼めし代りの麦こがしを箸《はし》で練りながら食っ

ていたが、

「早や。早や。……」

と言ったまま絶句した。家康にすれば旧織田勢力が北陸の柴田勝家と上方の羽柴秀吉の二つに割れてしまったこの情勢下で、

（おそらく旧織田勢力は、四分五裂し、小党たがいにせめぎあって、どちらが統一するにせよ、よほどの時間がかかるだろう）

とみていた。羽柴秀吉はなるほど大気《たいき》で俊敏であるにしても、北陸の柴田勝家は戦いに老練な上、かれはちょうど徳川家における酒井氏のように織田家の譜代家老であり、またその妻女は故信長の妹でもあるといったぐあいで、旧織田家におけるその勢力というのはじつに根づよい。となれば両雄たがいに善戦し死闘し、しかも勝敗がつかず、その間、野心家が湧《わ》くようにあらわれ出て事態をいよいよ混乱させ、ついには両雄とも勢力を弱めてゆくにちがいない、と観測していた。そうなることを家康は祈り、そう事態を見切った上で、この甲信両国という、いわば中央の檜《ひのき》舞台から遠く離れた大田舎で、大汗をかきつつ自分の地方勢力としての力を蓄えようとしていたのである。

が、事態は、家康の祈りを空《むな》しくした。秀吉は勝家を、賤ヶ岳の主力決戦で一撃の

もとに倒してしまったのである。

（すると、天下はあの小男のものか）

と思っても、すぐには実感は湧かない。なんといっても信長から、猿、猿、とよばれて追いつかわれていたあの貧相な、五尺にも満たぬ足軽あがりの男が、覇王《はおう》の衣冠を身につけるのである。実務家の頭脳しかない家康には、そういう羽柴秀吉の姿を想像するだけの想像力がなかった。

が、決めねばならない。

この新事態に応ずる徳川家の態度をである。秀吉に属するか。

属するのが常識であろう。日本の武家の習慣では、中央を制覇した者に対し、名簿《みょうぶ》を差し出してその傘下《さんか》に入り、彼に忠誠を誓うその代償として自分の領土を安堵《あんど》してもらう、ということがある。第一、いままで信長に仕えていた織田家の部将たちが、いまはあらそって秀吉の傘下に入ってしまっており、秀吉の大勝利は、ひとつにはそのような、勢力の雪崩《なだれ》現象によるものであった。

（傘下に入るとなると、急がねばならぬ）

と、家康はおもった。遅れて駆けこめば忠誠心を疑われたり、ときにはせっかくの領土も取りあげられたりする。

（が、もう遅い）

とも、家康はおもった。明智光秀《あけちみつひで》退治から柴田勝家までいたる秀吉出頭の二大会戦に参加していなかった以上、なんの功もない。秀吉政権樹立に功がなかった者を秀吉が優遇するはずがなく、いまごろのこのこ出てゆけば、殿中で殺されて、その結果浮きあがる家康領を、秀吉は自分の政権樹立に功があった者に頒《わ》けてしまうにちがいない。

（きっと、そうだ）

と、思うほうが、家康にとって性格に適《あ》っていた。家康は他人を信ずることの篤《あつ》い性格だが、かといって少年期から人の心の表裏のなかで苦労しぬいてきたため、自分が自分自身の目で見確かめないかぎり、他人が信じられなかった。とくにいま、にわかに強権をにぎった秀吉という男が、はたしてどういう心情でいるのかわからない。家康は、秀吉について知るところがきわめてすくなかった。

家康は、初手《しよて》の悪い男であった。あらたな事態に接すればかならず狼狽《ろうばい》するのだが、このときも箸二本をにぎり、麦こがしの椀《わん》をもったまま、風に吹かれるようにして寝所に入った。むろん、寝るためではない。多くの地方豪族の城がそうだが、この浜松にも、城主が籠《こも》るべき自室というのは寝所しかなかった。

そうしているうちに、事態をきいた重臣《おとな》たちや物頭、知恵自慢といった連中がぞくぞくと登城してきた。みな、詰間《つめま》には集まらない。詰間には、身分ごとにすわる場所がきまっていて、おおぜいで雑談するのに不適当であった。このように雑然と集まってきた場合、みな、

「広溜《ひろだ》まり」

と、この城で呼称されている場所にあつまる。大台所の板敷のことである。なにしろ数百人の食事を一時にととのえる場所だけに、板敷は広い。ここに、二三十人の男どもが、尻《しり》を据えて雑談するのである。ここならば、身分による席の差別がない。

鬼作左といわれた本多作左衛門という三河者のぬしのような男は、職は岡崎の町奉行なのだが、たまたま浜松にきていて、この雑談の中心になった。鬼作左にとって徳川家以外に大名はなく、三河以外に天地がない。なにしろこの浜松城という徳川家の主城にきても、

——どうもよその城は勝手がちがってこまる。

と、大声で難くせをつける男なのである。かれにとって徳川家の聖地たるべき地は、あくまでも三河岡崎なのであった。

この男が、

「尾張《おわり》衆の下肥《こえ》を汲《く》んでいた雑々《ぞうぞう》しき男（秀吉のこと）が、いかにいずな（狐《きつね》）を使《つこ》うて人をくらまそうとも、われらの目は昏《くら》ませぬ。尾張衆（この場合は織田家の部将たちであろう）は利に敏《さと》く、利さえ啖《くら》わせばそれにころんで累代《るいだい》の主君でさえ投げすてるものだが、あの男はその事情を知りぬいておるがゆえに、尾張衆を転ばし転ばしして、わずか一年で織田家の大屋を盗みとりおった。そのような者がいかに天下を得ようとも、惟任《これとう》（明智光秀）同然」

同然、とは、光秀とおなじように三日天下におわるであろうというのである。

「作左、よう言うたわ」

という野声が、あちこちからあがった。どの男も、この事態を歓迎していなかった。ということは、家康自身もその点濃厚だったが、西三河の山岳地帯を故郷とする家康の譜代衆は、物事をすべて守旧的心情でしかとらえることができず、そこにかれらの忠誠心も、人間としての骨太さも在る半面、新事態はいかなる現象でも、憎悪《ぞうお》か軽蔑《けいべつ》の心情をとおしてしか、視《み》ることができない。

が、ここで、別な気持ですわっている者がいる。

と敬称されている五十年配の男である。石川伯耆《ほうき》数正といい、家康がその器量を見こんで抜擢《ばってき》し、酒井忠次《ただつぐ》とともに左右の重臣をつとめさせている男である。

石川数正は、政務にも軍務にも練達の男であった。むかし、永禄《えいろく》四年、家康がまだ三河一国を平定しきっていなかったころ、三河の豪族の水野信元と石瀬で決戦したが、この戦いの先鋒《せんぽう》大将が石川数正で、軍陣における進退の巧妙さは、当時まだ若かった家康をはるかに凌《しの》いでいた。

この石川数正が、後年不慮の不始末を仕出かして三河衆の人気をうしなってからは、家康は彼をほめることを憚《はばか》ったが、それまでは、戦陣で先鋒の働きを望見しながら、

——伯耆の駆引きのうまさよ。

と、鞍《くら》の上でどれだけほめてきたかわからない。家康は元来、天稟《てんぴん》の独創力に乏しく、それをみずから知ってもいい、ものまねびを重ねてきた男だが、初期のころはこの石川数正の働きぶりから多くを学んだ。もしこの石川数正が尾張の織田家の家臣にうまれていたとすれば、抜擢好きの信長はこれをせりあげせりあげて、ついには羽柴秀吉や柴田勝家にならぶほどの大名に仕上げたかもしれなかった。

「ほうきどの」

「ほうきどのは、利口すぎる」

という評が、三河衆のあいだにある。三河では利口働きは好まれぬ風があった。

「三代前は、美濃《みの》よ」

と、ささやく者もある。かれの祖父は美濃からきて家康の祖父に仕えているのだが、三河では三代つづいてもなお他国者のあつかいをし、

――やはり気ごころが知れぬ。

などと、陰でいったりした。

が、石川数正はただの才覚人であったわけではない。これもむかし、駿府の今川義元が桶狭間《おけはざま》で信長に討たれたあと、今川氏の跡目は氏真《うじざね》が継いだ。その氏真が暗愚であったため、家康は見切りをつけ、今川の保護国であることから脱して、尾張の信長とひそかに同盟を結んだが、このうわさが駿府にまできこえ、氏真の機嫌をわるくした。その上、家康は今川の一族の上郷《かみごう》城主鵜殿《うどの》長持と戦い、長持を討ち、その二人の子を捕虜にするということをやった。氏真はいよいよ怒り、家康が駿府にあずけてある人質を殺そうとまでした。人質というのは家康の妻築山《つきやま》殿と、その子信康《のぶやす》である。信康はまだ三歳で、竹千代とよばれていた。

このとき石川数正は、

――駿府へ行って若君を救出したい。

という放胆なことを、家康に申し出た。家康はこの冒険の危険をおもい、許さなかった。が、数正はこのことを思い詰め、置手紙をのこして三河を出奔し、敵地同然の駿府に乗りこみ、さらには今川氏真にまで対面するという大胆な放れわざをやってみせた。

石川数正は、外交の上手であった。かれは今川氏真が、鵜殿長持の二人の息子をかつて寵童《ちようどう》として愛していたことを耳にし、そのことを利用した。鵜殿の二人の息子は、藤太郎、藤三郎という。繰りかえしていうが、いま捕虜として徳川家の浜松城にいる。

——いかがでございましょう、鵜殿の二人の子とわれらが若殿とを交換したいと存じまするが。

と、数正は氏真に申し入れたのである。氏真はよろこんでそれに応じた。数正はこの冒険的外交に成功した。

数正が、築山殿を乗物にのせ、三歳の竹千代を掻き抱いて自分の馬の鞍の前輪にのせて意気揚々と三河岡崎城下に帰ってきたとき、城下は湧きに湧いた。その様子を大久保彦左衛門は『三河物語』に、

「そのとき石川伯耆は、大ひげ食いそらし、若君を頭馬《かしらうま》にのせ奉《たてまつ》り、念子原《ねんじ》に打ち上げ通らせ給《たも》うことの見事さ、何たる物見にもこれにすぎたることはあらじ」

と、素朴な文章で書いている。大ひげ食いそらし、という形容は、このころの口語でよく使われていたらしい。数正は、大ひげであった。そのひげを馬上の荒風になびかせて、あたかもひげを噛《か》んで食い反らしているように見える、ということであろう。この冒険をやってのけた数正の一途《いちず》さと言い、主君のためなら身命を惜しまぬ質朴な侍気質《かたぎ》と言い、いかにも三河人の典型のようにみえ、げんにそうであった。が、壮齢を過ぎてのちの数正はむしろ三河人の質朴さや、質朴誇りというものに疑問をもつようになった。

「尾張では、そうではない」

という類《たぐ》いの言葉を、事に触れ、数正はいうようになった。その後も数正は戦陣にあっては先鋒大将をつとめつづけており、三方ヶ原合戦のときも、姉川、長篠《ながしの》合戦のときも屈強の働きを示したが、しかし、かれがその才能をそれ以上に発揮したのは、対織田外交においてであった。家康はつねにこの人物を織田家に派遣した。

自然、数正は三河のやや暗い閉鎖的な侍集団のふんいきよりも、織田家の開放的な、働きがあればたとえ徒士《かち》侍でも騎乗士《うまのり》にひきあげられ、功があれば戦闘の真最中でも大将の信長みずからが金箱に手を突っこみ銀の粒をつかみどりにして与えてくれるという家風に親しみを持った。

「尾張では、こうぞ」

と、数正は口癖にいう。が、三河者からいえば、尾張の風《ふう》というのはなるほど陽気ではあったが、反面、侍どもに必要以上に射倖《しゃこう》心をかきたてさせ、主君に対する忠義よりもむしろおのれの功利心で働くというところが露骨で、まだ中世の気風をのこしている三河者からみれば、

——尾張衆は、武士か商人かわからぬ。

と、罵《ののし》りたくなるような気分がある。

第一、家康自身がそうであった。かれは尾張のそういう気風を好まず、さらには三河に尾張侍風の華美が入ることを怖《おそ》れ、三河気質の元締のようになって、それを保存することにつとめた。

「わが好む侍は」

と、家康はつねにそのことを言った。侍というものは主人に好まれるべく振舞うため、主人の好む典型に自分を近づけようとするものであった。

「侍に知略才能あるはもとより良けれども、なくても事は欠かぬなり。ただひたぶるに実直なれば知能を持つに及ばず。武士として義理に欠けたるは、打物《うちもの》の刃がきれしごとし」(『中泉古老物語』)

——ただひたぶるに実直。

ということを、家康はその家臣たちに望んだ。かれは、三河人が、ともすれば隣国の尾張の風を享《う》けがちであることを警戒し、意識して三河気質を保存しつづけようとしていた。

が、石川数正は、

——三河一様《いちよう》ニテ広キ天下ニ動キウルヤ。

という気持が多分にあり、さすがに家康の前ではそういう鬱懐《うっかい》は洩《も》らさなかったが、侍どもが集まる場所にいるときなど、そのことを言った。数正にいわせれば天下は開闊《かいかつ》である、三河の固陋《ころう》一様の一筋で動いていてはやがて取りのこされるのではないか、ということであった。ところが三河気質のおもしろさは、こういう数正のいわば進取的な考え方に賛成する者はまれで、多くは反発したことであった。

この場でも、そうである。

広溜まりにいた人々は、口々に秀吉を悪口し、また秀吉の撒《ま》く利に釣られて、かつての秀吉の同僚である織田家の諸将があらそって秀吉の家来になったことの見ぐるしさを罵った。やがてそのひとびとが、石川数正に意見をもとめた。

数正は徳川家の閣老であるという立場柄、多くは言わない。が、ひとことだけいった。

「気に入ろうが入るまいが、それが天下というものだ」

と、いうことである。数正にすれば、われらはすでに、山三河《やまみかわ》の渓流ぞいで魚介を獲《と》って暮していたころの三河者ではない、三河者の料簡《りようけん》で天下の好ききらいを言い、その料簡で天下を推しはかろうとするのはまちがっている、ということであった。

家康はこのところ寝所で猿が物を食うように背をまるめ、椀の中の麦こがしを一箸《はし》ずつ正確に口に入れながら、しかし視線だけはあらぬ宙を見つめて考えこんでいる。

家康は、やがて人をよび、近習の本多千之助という若者をよぶように命じた。やがて千之助が、目の坐《すわ》った表情でやってきた。

この若者は、つい今まで広溜《ひろだ》まりにいた。そのことを家康は知っていて、それでよんだのである。が、千之助はまだ広溜まりでの議論での火照《ほて》りが醒《さ》めないらしく、表情にそれが残っていた。

「千之助、厠《かわや》へ立って来う」

と、家康は命じた。なるほど千之助は尿《ゆばり》が詰っているような表情をしていたかもしれないが、しかし当の千之助には慮外なことで、ゆ、ば、り、など詰っておりませぬ、と答えた。家康は優しくいった。詰っておらいでも厠へゆけ。千之助は立ちあがり、廊下へ出た。

ほどなく帰ってきた。それだけの動作であったが、すでに表情から火照りが醒めていた。家康は近くへ寄らせた。家康はこの若者から、

——広溜まりではどういう議論が出ている。

ということを聴きたかったのである。語る当人が昂奮《こうふん》していては、当人の感情が報告に照り反《かえ》って、冷静な伝聞は聴けないであろう。だから厠へやった。家康の日常は、人間をそのように操作するという、考えようによっては奇妙なしごとの連続であった。ついでながら、

「広溜まり」

というのは、単に場所を指すことばではなかった。そこにおける議論を指した。この風習は松平の土豪時代からあったようであり、家長たる者はあとでそれを適当な者の口から聞く。べつに内偵させるのではなく、ごく公開性のつよいものであった。

家康は晩年、こう言っている。

下総《しもうさ》（千葉）の佐倉に城があり、千葉氏という、源平のころからの古い家系の大名

が代々すわっている。古沼に水腐れがするように家風が饐《す》え、このため戦国期にはよほど衰微して、小田原北条氏の属邦としてかろうじて家名を保っている。その千葉の家に、

「千葉咲《わらい》」

という風習がある、と家康が『駿河《するが》土産』のなかで言う。

「千葉の家では、執柄《しっぺい》（家老）、奉行、頭人《とうにん》とも、愛憎だけで政治をし、わいろをとり、依怙《えこ》ばかりをし、家風がわるく、侍が住みにくい。このため、諸人は夜中、顔を布で包んで誰ともわからぬようにし、しかるべき家にあつまって上役のなしざまを誹議《ひぎ》し、ついにはやるせなげにたかだかと笑うのを千葉咲という」

千葉咲のことはともかく、徳川家の「広溜まり」の場合、かれら諸人の議論はほぼ家康の耳に達するようなかたちになっており、であればこそかれらもかれらなりに真剣に物事を論じた。

家康は、本多千之助から、広溜まりの議論をきいた。そのなかで、石川数正に関心をもった。

（伯耆らしい）

と、家康はかねがね三河者の世間狭さに不満をもつ数正の気持を知っていたから、

むろん悪意はもたない。が、それ以上に家康が聴き耳を立てたのは、数正に対する広溜まりの一座の反応であった。反応は、露骨ではない。数正の身分の重さに憚《はばか》りがあるため、言葉となってはあまり露《あらわ》れていないが、一座のことごとくが反感を示したというのである。

たれかが、

――天下を広く、と申されますのは、つまり上様が秀吉の家来になれ、ということでございますか。

と、するどく反問した。これには石川数正もわざとであるかどうか、色をなし、声を荒げ、たれがそう言うた、わしはただこれからの武士は山寨《さんさい》に籠《こも》っていた時代とはちがう、天下の広きを思えという心構えをさとしただけだ、それだけのことだ、といったが、諸人は服する色をみせなかったという。

「伯耆のいうこともおもしろい」

と家康はいったが、肚《はら》のなかではかれはそれとは逆であった。かれは三河者の固陋さを愛しているし、家康自身、新しい事物や現象に頭から警戒し、ときに殻をとざしてしまうという点では、かれら以上の濃厚さで三河者であった。

(秀吉の一件、あわてることはない。家中《かちゅう》の諸人の気持もそうである。その諸人の気

分の上に乗って、しばらく様子をみておいたほうがよいかもしれない）

そのあと、酒井忠次と石川数正という自分の二人の閣老をよんだ。

酒井忠次は、

「なんの、あの藤吉郎づれに」

と、秀吉を以前の通称でよび、その実力を頭から信用していなかった。

「烏合《うごう》の衆でござるよ」

というのが、彼の言いぶんである。

あの連中は、である。旧織田家の諸侯がいまにわかに秀吉を盟主に仕立てたが、しかし忠誠心などはない。酒井が上方へ放ってある諜者《ちょうじゃ》の報告でも、諸侯は秀吉に対したれも、

「上様」

とはいわないという。信長の乳兄弟である池田勝入斎などは、友達言葉で話しかけているという。しかもそれら旧織田家の諸将は、それぞれに野心があり、あわよくば秀吉の踏み台を外して自分が天下をとろうと思っているという。

「思っていて、当然だ」

家康は、酒井のその言葉が気に入った。家康自身、天下をとる計画などはまるで持っていなかったが、一年間という短期に成立したにわか権力が、野心家たちの横行で

瓦解《がかい》してくれることをほとんど神仏に祈りたいような思いで思っていた。瓦解し、一国、半国という単位に分裂して群雄が割拠すれば、東海五カ国のぬしである家康の位置が、かつての天下情勢における武田信玄に似た位置を占めうるのである。

(羽柴の勢いを瓦解させるには、一つ手がある)

と、家康には腹案があったが、しかしその手を打つには、まだ時機の熟し方が青すぎるようであった。

酒井忠次は要するに、徳川割拠主義である。家康は次いで石川数正の意見をきいた。

――秀吉の傘下《さんか》に入らるべし。

とは、数正は家康の気分を察している以上、露骨には言えない。

この老巧の男は、ただ首をかしげている。かつては大ひげ食い反らしといわれた自慢のひげも、いまは白毛がまじり、頭はみごとに禿《は》げあがって、後頭部でわずかにまげを結んでいる。

「しばらくご猶予《ゆうよ》を」

と、数正は考える時間を乞《こ》うた。

そのあいだ、酒井忠次が喋《しゃべ》った。織田・徳川同盟はどうなるのでござろう、というのである。家同士の締結である以上、信長が死んでも同盟は生きていなければならない。ところが信長の嫡子《ちゃくし》の中将信忠《のぶただ》も、明智の乱で死んだ。信忠の子つまり信長の嫡孫だけは前田玄以《げんい》という者がそれを抱いて本能寺の猛火から脱出し、無事であった。それをこのたび秀吉が擁し、その傅人《めのと》（保育者）になり、ゆくゆくは織田家の名跡を継がせるかのごとく内外に公言しているが、その信長嫡孫三法師はまだ嬰児《えいじ》であった。嬰児と同盟することはできない。

信長の息子たちはみな不肖であった。三男信孝《のぶたか》三十歳だけがその能力は常人なみで、人並み以上の気魄《きはく》もある。かれは、柴田勝家と結んだ。勝家は「信孝を後継者にする」という大義名分をたもって秀吉と対決した。秀吉は嬰児三法師を擁しているだけでは心もとなく、信長の次男織田信雄《のぶかつ》三十歳（信孝と同年、生母がちがうため）を抱きこみ、勝家と対抗しつつ、結局は賤ヶ岳の一戦で秀吉が勝ったためそれら織田家の子や孫の利用価値は薄れてしまっている。

要するに織田政権が瓦解した以上、織田・徳川同盟も消滅したといっていい。むしろ同盟を発展させるなら、織田政権を実力で相続してしまった秀吉にそれを申し入れ、あらたに結ぶほうが、まだしも妥当である。――というようなことを、じつは石川数正はおもっていたが、しかしこの万事守旧好きの徳川の家にまだ事態対応のふんい気ができていない以上、それを言い出せばたちまち摩擦と誤解がおこり、身の破滅にな

りかねない。それでなくともかつての信長時代、数正は、

　——上方好き。

　といわれ、信長に対し、家康の代理人ということを越えて格別な関係をもっているかのように言われてきた。家康は数正のことを理解しているにしても、三河衆の口のうるささには、戸が立てられないのである。

　数正は、思案するふうをつづけた。家康は好意のある言い方で、

「伯耆《ほうき》ほどの者でもそうか、思案がないのか」

　といった。といっても、家康はべつに酒井や石川の意見によって動こうとしているのではなかった。家康という人物のおもしろさは、参謀や軍師というものを必要としなかったということにあるであろう。その後もかれはそうであった。ただその後半生、本多正信《まさのぶ》を謀臣にして寝所にまで入れるほどに重用したが、しかしそれも軍師というものではなく、あくまでも相談相手というべきものであった。この場合も、酒井と石川に相談しているだけで、結局は家康は自分の信ずるがままにやるのである。が、重臣たちの考えだけは十分に陳《の》べさせておかねば、かれらの心に鬱懐が生ずるのである。武田信玄はそれをやったことを、家康はよく知っている。上杉謙信はそれをやらなかった。信長はときにそれをやらなかった。

数正はいかにも熟慮のすえ、といった顔つきで、

「よき思案もございませぬが、近江柳ヶ瀬《やなせ》（賤ヶ岳）の大勝について、祝賀の使いだけでも送っておかれればいかがでござろう。あとはあとのことでござる」

と、いった。

それをきき、家康は救われたような気持になった。なるほどそのことは気づかなかった。秀吉に随《したが》うか、それとも断絶したままの状態をつづけるか、気ばかり焦《あせ》り、いわば二者択一の思案のみをし、しかも壁に突きあたっていたのだが、世の中には儀礼という珍重すべきものが存在していたことをわすれていた。儀礼は本来、毒にも薬にもならないが、なにごとか態度をいま行動として決めねばならぬとき、儀礼もまた行動の一種である。いまは儀礼を用いておくのにしくはない。

「伯耆、上方へのぼってくれるか」

と、家康は喜色をうかべていった。

「いつなりとも」

「早いほうがよかろう」

と、家康はいった。

さて、祝いの品である。

尾張衆は元来派手なうえに、秀吉は信長の趣味の影響をうけて茶を好み、道具好きであった。道具に対する目も肥えているに相違ない。

が、元来、三河ぶりをもって家風とする徳川家には、実質上天下人の位置にある従《じゅ》五位下左近衛《さこんえ》少将羽柴秀吉ほどの者に贈るだけの道具はないのである。

信長が健在のころ、かれの陣中用の便器に蒔絵《まきえ》が施されていたが、これをきいた岡崎の商人で某《なにがし》というものが自分の殿にもそれを用いさせたいとおもい、工人に作らせて献上してきた。それまで家康は軍陣では農夫同様のやりかたで野に幕一枚を張って用を足していたが、この華麗な便器をみてあきれ、

――なんの効がある。糞《くそまり》が蒔絵をよろこぶというのか。

といって即座に打ちこわさせた。貴族や富商のあいだに流行している茶についても、関心を示さなかった。この時代、貴族は公卿《くげ》であれ武家であれ、茶をやらねば連歌《れんが》をやるといったぐあいにいずれかの趣味グループに属していたが、家康はまるで無関心であり、その点、日本国中に類がないかもしれない。

そういうこの男に貯《たくわ》えこんだ道具があるはずがなかったが、ふと気づき、

「初花《はつはな》を贈るべし」

と、決断した。

信長の死の直前、信長が、

――三河どのも、茶を楽しみ候《そうら》え。

と、いったことがある。このことは、重大なことであった。信長は自分が茶が好きなくせに、自分の部将には茶の亭主になることを禁じていた。ひとつには亭主になって客をよぶとなれば茶室も茶道具も必要であり、大層な物入りであったため経済的な負担が大きいということがあったが、ひとつにはそれをもって部将の格付けにしようとした。柴田勝家には、勝家が北陸を平定したときにそれを許し、秀吉に対しては中国攻めのとき、播州《ばんしゅう》攻略が一段落しかけたときにそれをゆるした。家康は織田家の部将ではなく、独立した同盟国の主《あるじ》であったから、この場合は格付けということでなく、信長の好意であった。ただし、茶を楽しみ候え、と言う場合は、言う側は自分の秘蔵している道具を一品贈るというのが、当然の作法である。信長は家康に対し、銘「初花」の茶入《ちゃいれ》を贈ったのである。

この小壺は肩衝《かたつき》といわれる種類で、肩を張ったような形状をしている。一種美少年の凄艶《せいえん》をおもわせる匂《にお》いが立ち、しかも高雅な気品がある。いわゆる唐物《からもの》で、伝承では楊貴妃《ようきひ》の油壺《つぼ》であったというが、定かでない。明瞭《めいりよう》な伝来は、銀閣をつくった足利将軍義政《よしまさ》の所持で、義政自身が、「春にさきがけする名花に似る」ということで銘をつけた。それが、信長の手に渡った。信長はこれを珍重したが、よほどの思いきりで家康に呉《く》れてやったのである。

家康には、この小壺をみても、そのあたりの老婆《ろうば》の鉄漿《おはぐろ》壺のようにしか見えなかったが、ともかくもありがたく拝領し、浜松に帰って城内の什器《じゆうき》蔵におさめておいた。それが、不幸にも信長の形見になった。そういう遠慮もあって、手放すのはどうかと思われたが、ほかに道具はない。第一、秀吉は天下三肩衝《さんかたつき》（他の二つは、銘新田、銘楢《なら》柴《しば》）の一つである「初花」が家康のもとにあることを知っており、たとえ他の道具を家康が贈ったにしても、

——家康はその程度の心か、なぜ「初花」をくれぬのか。

と、かえって不快に感ずるであろう。やはり贈るとすれば、「初花」であった。

「初花でござるか」

と、さすがの石川数正も、家康のこの思いきった品選びにおどろいたが、しかし内心よろこびもした。

（殿は、秀吉にむかって傾いているのだ）

と、推測した。

が、美術品というものを虚妄《きよもう》としか思っていない家康にすれば、蒔絵の便器を割ったと同様、「初花」など吝《お》しくもおもっていなかった。しかもかれは「初花」に決めたとき、

（いずれ、秀吉と対戦する）

という、数正がかんぐった逆のことを、不意に、それもふつふつと胸の底から湧《わ》きあがるような思いで、おもったのである。むろん、単独で戦う力はなかった。同盟者を糾合しなければならなかった。しかも秀吉と正面から決戦する必要はなく、長期戦に持ちこんで、秀吉が、まるで積木細工のようにして作りあげたその似而非《えせ》な、たとえば秀吉がかつて墨股《すのまた》でやってのけた紙張りの一夜城のような権力世界に対し、戦闘と調略を綯《な》いまぜつつ硬軟両面の攻撃を加えてゆけばたとえ勝てぬとしても負けることはないとおもった。負けることさえなければ、秀吉の足もとから裏切者が続出して、秀吉はいずれ地にたたきおとされるであろう。その同盟者には、うってつけの者がいる。信長の次男である中将織田信雄であった。信雄は織田家の家臣たちからうつけ殿とささやかれているほどの庸人だが、しかし織田政権の正統の相続者は自分であるという自負心だけはつよく、こんどの織田家の内紛でも、秀吉からいかにも相続者にす

るといわんばかりの誘いかけがあり、それを信じ、秀吉の賭《かけ》に乗った。賭は成功したが、しかしその結果、秀吉自身が相続者になりつつあるとなれば、信雄の心懐はどうであろう。誘えば家康の同盟者に当然なるのではないか。

ともあれ、石川数正は、乗替え馬を五頭ばかり用意して、西へ駛《はし》った。この大名級の男が、まるで飛脚のようにして駛ったのは、秀吉をまだ硝煙のにおう戦勝の陣中に訪ねたいためであった。でなければ、祝賀の効果はすくないであろう。

秀吉は、北近江（滋賀県北部）の山岳地で柴田勝家の先鋒佐久間《せんぽうさくま》勢を撃破し、あわせて中軍の主力をほとんど全滅させ、敗走する勝家を追ってさらに北へ猛進し、越前（福井県）南条郡の今庄《いまじょう》という渓流わきの宿駅にいたってようやく人馬を休めた。その夜、石川数正が、秀吉の宿陣の門をたたいたのである。

この苛烈《かれつ》なばかりに迅速な戦勝祝に接し、秀吉は驚嘆した。という以上によろこんだのは、

（家康もわが傘下に入るか）

ということであった。

なにぶん激戦のあとで秀吉は宿陣の奥で疲れきった体を横たえていたが、数正の来訪をきき、みずから玄関まで迎え出、

「やあ、伯耆。昨日きょう、わしは日本一の果報を得たが、縁起を運んできてくれたのはぬしであったか」

と、まるで数正のおかげで戦に勝ったかのように言い、玄関から客室までのあいだ、数正の背を掻《か》い抱くようにして歩いた。

数正は、感動した。

この男が、秀吉の撒《ま》きちらす蠱惑《こわく》のようなもののとりこになりはじめたのは、このときからであろう。

(下巻へつづく)

司馬遼太郎著

梟の城
直木賞受賞

信長、秀吉……権力者たちの陰で、凄絶な死闘を展開する二人の忍者の生きざまを通して、かげろうの如き彼らの実像を活写した長編。

司馬遼太郎著

人斬り以蔵

幕末の混乱の中で、劣等感から命ぜられるままに人を斬る男の激情と苦悩を描く表題作ほか変革期に生きた人間像に焦点をあてた7編。

司馬遼太郎著

国盗り物語
（一〜四）

貧しい油売りから美濃国主になった斎藤道三、天才的な知略で天下統一を計った織田信長。新時代を拓く先鋒となった英雄たちの生涯。

司馬遼太郎著

燃えよ剣
（上・下）

組織作りの異才によって、新選組を最強の集団へ作りあげてゆく〝バラガキのトシ〟――剣に生き剣に死んだ新選組副長土方歳三の生涯。

司馬遼太郎著

新史太閤記
（上・下）

日本史上、最もたくみに人の心を捉えた〝人蕩し〟の天才、豊臣秀吉の生涯を、冷徹な史眼と新鮮な感覚で描く最も現代的な太閤記。

司馬遼太郎著

関ケ原
（上・中・下）

古今最大の戦闘となった天下分け目の決戦の過程を描いて、家康・三成の権謀の渦中で命運を賭した戦国諸雄の人間像を浮彫りにする。

司馬遼太郎著

草原の記

一人のモンゴル女性がたどった苛烈な体験をとおし、20世紀の激動と、その中で変わらぬ営みを続ける遊牧の民の歴史を語り尽くす。

司馬遼太郎著

花神（上・中・下）

周防の村医から一転して官軍総司令官となり、維新の渦中で非業の死をとげた、日本近代兵制の創始者大村益次郎の波瀾の生涯を描く。

司馬遼太郎著

城塞（上・中・下）

秀頼、淀殿を挑発して開戦を迫る家康。大坂冬ノ陣、夏ノ陣を最後に陥落してゆく巨城の運命に託して豊臣家滅亡の人間悲劇を描く。

司馬遼太郎著

果心居士の幻術

戦国時代の武将たちに利用され、やがて殺されていった忍者たちを描く表題作など、歴史に埋もれた興味深い人物や事件を発掘する。

司馬遼太郎著

馬上少年過ぐ

戦国の争乱期に遅れた伊達政宗の生涯を描く表題作。坂本竜馬ひきいる海援隊員の、英国水兵殺害に材をとる「慶応長崎事件」など7編。

司馬遼太郎著

歴史と視点

歴史小説に新時代を画した司馬文学の発想の源泉と積年のテーマ、〝権力とは〟〝日本人とは〟に迫る、独自な発想と自在な思索の軌跡。

新潮文庫最新刊

三川みり著
龍ノ国幻想4
炎《も》ゆ花の楔《くさび》
皇 尊《すめらみこと》となった日織に世継ぎを望む声が高まる。伴侶との間を引き裂く思惑のなか、最愛ゆえに妻が下した決断は。男女逆転宮廷絵巻。

堀川アサコ著
悪い麗人
—帝都マユズミ探偵研究所—
殺人を記録した活動写真の噂、華族の子息と美少年の男色スキャンダル……伯爵探偵と成金助手が挑む、デカダンス薫る帝都の事件簿。

百田尚樹著
地上最強の男
—世界ヘビー級チャンピオン列伝—
モハメド・アリ、ジョー・ルイスらヘビー級チャンピオンの熱きドラマと、彼らの生きた時代を活写するスポーツ・ノンフィクション。

乃南アサ著
美麗島プリズム紀行
—きらめく台湾—
ガイドブックじゃ物足りないあなたへ——。いつだって気になるあの「麗しの島」の歴史と人に寄り添った人気紀行エッセイ第2集。

関 裕二著
継体天皇
—分断された王朝—
今に続く天皇家の祖でありながら、その出自をもみ消されてしまった継体天皇。古代史最大の謎を解き明かす、刺激的書下ろし論考。

山本文緒著
自転しながら公転する
中央公論文芸賞・島清恋愛文学賞受賞
恋愛、仕事、家族のこと。全部がんばるなんて私には無理！ ぐるぐる思い悩む都がたどり着いた答えは——。共感度100％の傑作長編。

覇《は》王《おう》の家《いえ》（上）

新潮文庫　し－9－38

平成十四年四月二十日 発行
令和五年一月十五日 三十五刷

著者 司《し》馬《ば》遼《りょう》太《た》郎《ろう》

発行者 佐藤隆信

発行所 株式会社 新潮社
郵便番号 一六二―八七一一
東京都新宿区矢来町七一
電話 編集部(〇三)三二六六―五四四〇
読者係(〇三)三二六六―五一一一
https://www.shinchosha.co.jp

価格はカバーに表示してあります。

乱丁・落丁本は、ご面倒ですが小社読者係宛ご送付ください。送料小社負担にてお取替えいたします。

印刷・大日本印刷株式会社　製本・加藤製本株式会社

ISBN978-4-10-115238-7 C0193